U0110347

2 戰國～秦代
西元前770～207年
[注音本]

# 全新 吳姐姐講歷史故事

吳涵碧◎著

# 目錄

【第26篇】

# 龐涓中計樹下自刎。

孫臏和龐涓都是鬼谷子的學生，一同在魏國做官。龐涓因爲嫉妒孫臏的才華，便用毒計陷害好朋友，使孫臏不能走路，並且在他臉上刺了『私通外國』四個字。孫臏惟恐龐涓更進一步殺害自己，於是便開始裝瘋。

龐涓是個聰明人，懷疑孫臏在演戲，就叫手下把他拖到豬圈裏去。豬圈裏惡臭難聞，孫臏倒頭便躺在豬糞中。有人拿狗糞混著泥巴餵他，他也照吃不誤，有時還飲些尿、吃些屎。龐涓心想孫臏八成是眞的發瘋，於是把他趕出牢籠，讓他去沿街爬行乞討。

孫臏經常白天出去，晚上回來仍舊睡在豬圈中，偶爾不回來，就睡在大街上；有時又說又笑，有時哭鬧不停，街上的人可憐他，丟給他一些食物，沒有人看得出孫臏在假裝發瘋。然而，龐涓心中仍不太放心，每天都派密探去偵察孫臏的行蹤。

龐涓如此的毒害同窗好友，許多人都看不過去。有個叫禽滑的人決定行俠仗義。他以獻茶給魏惠王爲名到魏國，看到孫臏沿街跪爬乞食的可憐相，心裏非常難過。等到半夜，禽滑悄悄的來到豬圈，告訴孫臏準備救他出去。孫臏淚如雨下道：『龐涓監視得這麼緊，恐怕很困難啊！』

禽滑找了一個傭人，身材很像孫臏，塗了滿臉的髒泥巴，披頭散髮裝

龐涓死此樹下

瘋扮成孫臏的模樣。另外把孫臏藏在車裏，趁著龐涓和魏惠王飲酒作樂的時候，偷偷出城了。過了幾天，手下的人發現孫臏失蹤了，只留下一堆髒衣服，趕緊跑來告訴龐涓。龐涓以爲孫臏發瘋投井而死，撈了半天都沒撈到屍首，卻又擔心魏王怪罪，只好向外宣佈：孫臏溺水而死。沒料到，孫臏早已逃到齊國準備報仇。

不久，魏國派兵侵略趙國；趙國向齊國求援，齊國便以孫臏爲軍師對付龐涓的軍隊。龐涓到了桂陵，遠遠看到齊兵排成的陣勢，正是當年孫臏在魏國擺出，而自己當時看不出的『顛倒八門陣』。他大吃一驚想道：『莫不是孫臏跑到齊國去了？』但仍嘴硬，破口大罵齊兵：『你們擺的顛倒八門陣，是向鬼谷子學過的，沒什麼了不起，你們是從那兒偷來的？我們魏國三歲小孩子也能破這個陣法。』

事實上，龐涓完全被這陣法弄昏了。他親自挑選五千人衝入陣中，只見八方色旗，紛紛轉換，他東衝西撞找不到出路，加上四方吶喊聲、鳴鼓聲，龐涓心中大亂。更糟糕的是：一抬頭發現每面軍旗上都寫了大大的『孫』字，幾乎當場昏倒，差一點命都丟了，連夜趕回魏國去。

過了幾年，魏國攻打韓國，由龐涓領兵。韓國自知力弱，不能抵抗，趕緊向齊國求救，齊國便派孫臏率軍救韓。

孫臏面對魏軍，首先使用了示弱計。當齊軍和魏軍相隔五十里時，便連夜向後撤退。魏軍第二天趕到齊軍的紮營地，發現地上留了十萬個煮飯的竈，於是繼續向前追趕。第三天，魏軍趕到了前一夜齊軍的紮營地，齊軍已經先跑了，魏軍數一數地上留下來的竈，只有五萬個。魏軍休息了一夜，繼續追趕，不久，到了前一天齊軍的紮營地，當然齊軍早就撤退了，魏軍再數一數地上的竈，只有三萬個。龐涓便向魏軍宣佈：『齊軍的竈一天比一天少，表示士兵逃亡很多。齊兵都是膽小鬼，還沒打就先跑，如果讓齊軍一直跑回齊國，實在太可惜。我要挑選三千騎兵，連夜追趕，讓齊兵逃脫不掉。』

其實，齊國軍隊並沒有人逃亡，竈的數目不斷減少，只不過是騙魏軍，讓龐涓誤以爲齊軍的士兵大量逃亡，士氣低落。齊軍的自動撤退也不是畏懼魏軍，只不過是裝成畏懼的樣子，引誘龐涓前來追趕。

果然，龐涓中了計，對齊軍產生了輕敵之心，率領少數騎兵，輕率的快速追趕，和後面的魏國大軍脫了節。

於是，孫臏在馬陵設下了埋伏。馬陵有一段險要的路段，道路的兩旁是山，中間一條路通過，好像一個峽谷。孫臏將齊兵分散到路旁山上的樹林中，埋伏起來，並且告訴齊兵，在夜晚時，只要看到火光，就對著火光一起射箭。

龐涓帶著騎兵來到馬陵，已是夜晚，忽略了這條峽谷的危險性，便直接衝進了峽谷。這時有前軍報告：『前面有斷木阻路不能前進。』龐涓叱道：『這還不是齊軍怕我，故意安置的嗎？』正在指揮軍士搬開木頭時，忽然看到樹幹上的樹皮被剝光了，上面隱隱約約有字跡。就叫兵士舉起火把，一看刻的是『龐涓死此樹下。』大叫『中計了！』話還沒完，一時萬箭齊發，如大雨傾盆射來，龐涓嘆道：『我真恨我當時沒把孫臏斬了，否則這小子今天也不能成名了。』他心知己命該絕，接著便使用佩劍自刎而死。

閱讀心得

# 【第27篇】田單的連環計。

戰國時代，燕齊相攻，燕國的大將軍樂毅，連下齊國七十多個城市，齊人能守住的只有莒和即墨兩個地方。

齊湣王嚇得出奔，老百姓也爭先恐後的逃難。田單預料到兵荒馬亂中，人與車一定非常擁擠混亂，行動很不方便。因此，出發前，他要他的族人把大車之軸的突出部分鋸掉，鋸得與車轂一般齊，並且外頭罩上一個鐵籠，使車軸鞏固不致散開。

果然，逃難的時候亂成一團。只有田氏宗族的人因爲車身狹窄，輕動靈巧，又不致車軸與車軸相撞，所以很順利的逃出，大家都很欽佩田單的智謀。

齊人知道田單有領導才能。因此，當燕軍攻打即墨，城中無主時，共推田單爲將。

當時，樂毅的計策是，對齊國僅餘的兩個城市，採取『緩攻』的方法，慢慢消化，使二城不戰而下。這本來是個好主意，但碰到田單卻行不通了。

田單派了間諜到燕國去散佈謠言，說是樂毅已打下了七十多個城市，難道還攻不破『莒』和『即墨』兩個城？這明明是樂毅想偷偷與齊國講和，自己當大王，齊國人最擔心燕國換了一個將軍，齊國就連莒和即墨兩個城

也保不住了。

燕國此時剛好新君即位，是個大草包。一聽到這個謠言信以爲眞，立刻換下了樂毅，改由騎劫這個無能的人當大將軍，整個燕軍都很憤怒。

田單曉得兩國兵力懸殊，他必須使百姓認爲自己有超人能力才行。於是他想出一個辦法：命令即墨城裏的老百姓，每天吃飯時，必須祭祖，祭祖時當然把供品陳放在庭院。天上的烏鴉看到了美食，成羣飛下啄食，燕兵遠遠看到這個景象很奇怪，田單乘機放出空氣說是：『這表示不久之後有神人下凡爲齊國軍師。』

不久，果然有一位神人出現，大模大樣，田單尊他爲『神師』。神師所到之處，齊兵都恭敬的下拜。其實，這個神師是田單找來的一個小兵裝扮的。齊人不知道，還以為眞是仙人下凡哩。接着，田單利用反宣傳，派人在燕軍中揚言，若燕人把齊兵的鼻子割了，放在隊伍前面，齊國人一定馬上投降。騎劫一聽就這麼幹了，齊國人一看被俘虜後，連鼻子都沒有了，只剩下一個黑黑的洞，嚇得大叫『媽呀！』從此，齊兵個個奮勇作戰，惟恐鼻子不保。

田單又為了激勵民心士氣，使大家增加殺敵的決心，又向燕軍傳出謠言：齊國人最擔心祖墳被挖，祖骨被毀，倘若燕軍眞的開始挖墳，齊人為保全先人骨骸，一定會開門投降。

騎劫又相信了這個謠言，不久，齊國人在即墨城內，望見煙火上升，傳來陣陣腥臭。打聽之下，原來燕軍在燒城外齊人的祖墳，氣得痛哭流涕，恨不得衝出城門，把燕兵砍光，以報不共戴天之仇。

田單知道民心士氣已經提高，可以一戰了。他發佈命令：由老弱婦孺在城牆上巡邏，壯丁都藏起來，讓城外的燕國將士誤以爲，即墨的男子都死光了。同時，田單又在民間搜集金銀財寶，送到燕軍的軍營之中，作爲賄賂之用，表示希望城降的時候，得以保全一條命。

騎劫得到了這些消息，很高興地等著即墨來投降，無形之中，軍備逐漸鬆懈了。

田單把城裏所有的一千多頭牛，集中在一起，然後用五顏六色的長布，披在牛身上，好像牛穿上了花衣裳。此外，在每一頭牛的角上綁上刀子，用蔴和蘆花浸油，紮在牛尾巴上，拖在後面，像個大掃把。

在約好投降日子的前一天晚上，田單召集了五千名壯士。在他們臉上抹上油彩，畫成大花臉，各自帶好兵器，跟在牛後面。然後，用火點著了尾巴，牛痛得奔出城門，好戲上演了：

燕兵睡到半夜，忽然聽到山崩地裂的震動，大羣怪物猛撲而來，角上還有利刄，碰到非死即傷，燕兵早聽說齊軍中有『神師』，都以爲這會兒眞的碰到鬼了。

那五千花臉齊兵悶聲不響的見到人就砍，燕兵一看牛頭馬面，好像到了地獄，手脚發軟，加上田單齊國百姓在城樓上敲銅打鑼，睡夢中眞以爲被閻王爺召到地獄，連逃的勇氣都沒有了。在糊裏糊塗的情形之下，不是死在牛角上，就是命喪齊兵之手。

這場戰爭，齊軍大獲全勝，並且，乘機收復了失地。

閱讀心得

【第28篇】

# 和氏璧的故事。

在戰國時代，秦國國勢強盛，常常侵略鄰國，趙國經常受到秦國的欺侮，所以，趙國對秦國既仇視又畏懼。

趙惠文王得到一件稀世珍寶——和氏璧，和氏璧是一塊美玉，被認爲是無價之寶。這和氏璧有一段悲慘的故事：

據說有一個姓和的楚國人，偶然在山中發現一塊品質極好的大玉塊，內心十分興奮，便帶了這塊玉去見楚厲王，表示要獻給厲王。厲王命一個玉匠來鑑定這塊玉的價值。

不料，玉匠在鑑定後說：『這不是玉，這只是一塊普通的石頭。』厲王聽到玉匠的鑑定後大爲生氣，認爲這是和氏在戲弄他，把石頭當美玉獻給他，於是，下令把和氏的左脚砍掉，以示懲罰。

過了幾年，楚厲王死，武王繼位，和氏又捧著那塊玉去獻給武王。武王也把玉交給一個玉匠去鑑定，這玉匠鑑定的結果也認爲那是石頭而不是玉。武王非常生氣，認爲和氏在欺騙他，命人把和氏的右脚砍掉。

又過了幾年，武王去世，文王即位，和氏抱了那塊玉跑到楚山之下，嚎啕大哭，哭了三天三夜，眼淚都哭乾了，眼眶裏流出了血。

和氏在楚山下痛哭的消息傳到楚文王耳朵裏，文王便派人去問和氏爲

甚麼痛哭，和氏回答說：『我不是爲自己雙足被砍而痛哭，我是因爲寶玉被人指爲石頭而哭，我是誠心誠意把玉獻給大王，卻被大王指爲騙子，這是爲什麼我要痛哭啊。』

於是，文王召集了全國一流的玉匠共同來鑑定，經過愼重而仔細的鑑定，結論是：這確是一塊美玉，只因未被雕刻琢磨，很容易被誤以爲是一塊石頭。

文王知道了結論以後，便向和氏道歉，收下了這塊美玉，同時把這塊美玉命名爲『和氏璧』。後來，這塊玉輾轉到了趙惠文王手中。

趙惠文王獲得和氏璧的消息傳到了秦國，秦昭王馬上寫信給趙王，表示願意以十五個秦國的城來換取和氏璧。

趙王對秦國這個要求大傷腦筋，召集了大臣們來商量。大家覺得秦國是強國，卻不大講信用，如果把和氏璧送給秦王，而秦國不肯給十五個城，那豈不是平白受秦國的欺騙？如果不把和氏璧送給秦王，又怕秦國興兵問罪，趙國恐怕不容易抵擋。這眞是一件左右爲難的事。

大家商量很久還是得不到結論，最後一致認爲最好派一個使者到秦國去交涉，希望能保住和氏璧卻又不致讓秦國有藉口攻打趙國，可是這種弱國對強國的外交任務是極爲艱難的，誰能擔當這個任務呢？

正當羣臣們面面相對，無計可施的時候，有一個叫繆賢的宦官站出來，推薦一位可以出使秦國的人選——藺相如。

沒有人聽過藺相如的名字，趙王也懷疑一個沒沒無聞的人怎能負起如此重大的任務？

『我相信藺相如有能力達成任務。』繆賢說：『我把我自己的故事說給各位聽。有一次，我犯了法，想逃到燕國去躲避，藺相如問我怎麼知道燕王會保護我？我說：「有一次燕王和趙王相會，我在旁侍候，燕王在背著趙王的時候，握著我的手，要和我結交爲朋友，所以，我認爲燕王會庇護我。」

『藺相如說：「燕王之所以對你這樣好，是因爲趙強而燕弱，同時，你又是趙王相信的人，他和你結交，是想和趙國親近。現在你犯了法逃到燕國去，燕王一定怕趙國向他要人，就會把你送回趙國來，他怎麼會庇護你？到那時你後悔都來不及了。所以，你不如坦白向趙王認罪，也許趙王會原諒你的。」

『我聽了藺相如的話，就向大王認罪，果然大王赦免了我的罪。從我自己經歷的這件事來看，藺相如實在是一位智勇雙全的人。』

趙王聽了繆賢的話，便下令召見藺相如。趙王告訴藺相如秦國索取和氏璧的事，問藺相如有甚麼計謀。

『秦強而趙弱，所以我們不能不答應。』藺相如說。

『如果秦王得到和氏璧，却不肯給十五個城，那怎麼辦？』趙王問。

『秦答應用城來換和氏璧，如果趙國不答應，是趙國理曲。趙國答應給和氏璧而秦國不給城，那便是秦國理曲。以兩者衡量，寧可讓秦國理曲。』藺相如回答道。

「可是，誰能出使秦國呢？」趙王用期待的眼光看著藺相如。

「如果大王沒有適當的人可派，我願意爲國効勞。」藺相如的口氣緩慢而有自信：「如果秦國給城，我便把和氏璧給秦國，如果秦國不給城，我一定會把和氏璧完整地送歸趙國。」

趙王高興得站起來，握著藺相如的手，誠懇地說道：「這個重責大任就付給你了，如果你能達成任務，我一定會重重謝你。」

於是，趙王正式任命藺相如爲趙國特使，帶著和氏璧和幾個隨身侍從，出發到秦國去。

閱讀心得

## 【第29篇】藺相如完璧歸趙。

藺相如帶了和氏璧到了秦國，秦王十分高興，在王宮裏接見藺相如。

藺相如捧著和氏璧，踏著穩健的步伐走進了王宮，知道自己正身處龍潭虎穴，必須謹慎而勇敢地面對這個危險的局面。

藺相如終於走到秦王面前，很恭敬地雙手奉上和氏璧。秦王接過這塊美玉，高興得大笑起來，把和氏璧給左右大臣和後宮美人傳看，左右的人都高呼萬歲。

藺相如默默地觀察秦王的舉動，知道秦王只想霸佔和氏璧，卻沒有割讓十五城的誠意。於是，藺相如走上前去，對秦王說：『和氏璧有一點小瑕疵，讓我指給大王看。』

秦王不知道藺相如的用意，以爲和氏璧眞的有瑕疵，便把璧交還給藺相如。相如拿著璧，靠著一根大柱子站立，憤怒地對秦王說：『大王向趙國要求以十五個城換和氏璧，趙王和羣臣商量，大家都說，秦國貪而無饜，不會讓出十五個城，所以認爲不能把璧給秦國。

『我卻以爲老百姓交往還講究誠實不欺，何況秦是一個大國呢，而且因爲一個和氏璧而損害秦趙的友好關係，那是不合算的。趙王同意了我的看法，於是，齋戒五天，派我帶和氏璧來獻給秦國，表示對秦國的尊敬。

『現在，我來到秦國，大王對我的禮節很傲慢，又把璧傳給美人，分明是戲弄我。我看大王沒有誠意償還十五個城，所以我現在把和氏璧要回來，如果大王逼我，我就把和氏璧撞碎，我也會撞這柱子而死。』

藺相如說著，就拿起和氏璧靠近柱子，作出要把和氏璧撞擊柱子的樣子。秦王怕藺相如眞的把璧給打碎，立刻勸相如不必如此。而且立刻召集主管地圖的官員來，在地圖上指了十五個城，答應讓給趙國。

藺相如知道秦王只是一套虛情假意，等到拿了和氏璧以後，一定不會把城讓給趙國。於是，相如提出一個條件，要求秦王和趙王一樣，也齋戒五天，然後召集羣臣觀禮，接受和氏璧，以表示鄭重。

秦王眼見藺相如堅決的態度，如果強奪，藺相如一定會把和氏璧打破，秦王想藺相如既已在秦國，便不怕他逃掉，於是，答應齋戒五天。

藺相如被安置在一個叫『廣成傳舍』的招待所裏住宿，相如預料秦王絕無割讓城邑的誠意，便囑咐跟他一同來秦國的同伴，改扮成爲老百姓，帶著和氏璧，偷偷走小路逃回趙國，把和氏璧歸還趙王。

到了第六天，秦王宮中熱鬧非凡，樂隊不斷在演奏，羣臣奉召一早就集合在大殿外，還有各國到秦國來的使者，也接到通知一起入宮，大家參加趙國把和氏璧贈送給秦國的典禮，同時也想看一看稀世珍寶的和氏璧究竟是怎樣的寶貝。

穿過羣臣和各國使者的行列，藺相如步入秦王的大殿，對秦王行了禮，然後朗聲說道：『秦國向來不重信用，我恐怕被大王欺騙而對不起趙國，所以已經命人將和氏璧送回趙國了。秦國是強國，大王只要派一個使者到趙國，趙國立刻就會把璧送來。現在，只要秦國先割十五個城給趙國，趙國豈敢不送和氏璧來？我知道我的行爲有欺騙大王的罪嫌，如果大王要處我死罪，我也願意接受，請大王仔細考慮一下，再作決定吧！』

藺相如的話讓秦王宮廷中所有的人都呆住了。秦國君臣沒有料到藺相如有這一步棋，一時竟不知所措。

秦王招一招手，把幾個大臣召到身邊，低聲商量如何應付藺相如所下的怪棋。

『我原想從藺相如手裏把和氏璧先騙來，再用別的理由不肯交出那十五個城，沒想到藺相如竟把璧送回趙國，這個人膽子眞大，命都不要了。』

秦王搖著頭說。

『不如殺了藺相如，指責趙國無禮失信，然後，我們出兵攻打趙國。』有位大臣說。

『不太好吧！』另一位大臣表示反對：『藺相如沒有說不把和氏璧給我們，他只是提出條件要我們先給十五個城，趙國一定給和氏璧。』

其他的大臣有人主張用強硬手段對付趙國，有人主張別把事情鬧大。最後，秦王做了結論：『如今如果殺了藺相如，也得不到和氏璧，反而傷了秦趙兩國的友好關係，我原本就無意割讓十五個城給趙國，縱然沒有得到和氏璧，我們秦國也沒甚麼損失。我看，放了藺相如算了。』

秦王回到王座，下令召見藺相如，用溫和的語氣對藺相如說：『你的行為的確很讓我生氣，我本來可以殺了你，但也於事無補，我想了很久，我覺得你這個人頗有機智，又有勇氣，是個人才，我也不為難你，你回趙國去吧！』

藺相如恭恭敬敬向秦王行了禮，很誠摯地說：『萬分感謝大王的恩惠，我知道大王是明理的人，所以才敢作出冒險的舉動。我相信以大王的睿智，一定能使秦趙兩國維持友好的關係。』

藺相如終於平安地回到趙國，和氏璧仍舊保存在趙國，歷史上把這件事稱之為『完璧歸趙』。

閱讀心得

【第30篇】

# 廉頗負荊請罪。

藺相如從秦國回到趙國，趙王欣喜萬分，由於藺相如的機智和勇敢，使趙國沒有丟掉和氏璧，也沒有受到屈辱，更沒有引起秦趙兩國的戰爭，所以趙王對藺相如給予極高的獎勵，封藺相如爲上大夫。

趙惠文王二十年，秦王約趙王在澠池的地方相會，表示兩國和好。對這個約會，趙王心裏有些害怕，不知道秦王會玩甚麼把戲，所以不想赴約。但是，趙國的名將廉頗和藺相如都主張要去，否則便是示弱。於是，君臣們商量妥當，由藺相如陪同趙王赴約，廉頗則調重兵駐守趙國邊境，並且約定如果趙王三十天還沒回國，廉頗就在國內擁立太子爲王，以免秦國挾持趙王，向趙國勒索。

澠池之會，秦國倚仗著強大的兵力，對趙王十分輕視。酒至半酣，秦王忽然請趙王鼓瑟，瑟是一種樂器，趙王不敢得罪秦王，只好鼓瑟。

當時站在旁邊的秦國史官便寫道：『某年某月某日，秦王命令趙王鼓瑟。』這條記錄分明是侮辱趙國。藺相如立刻拿了一個盛酒的瓦盆，走到秦王面前，對秦王說：『趙王聽說秦王也會音樂，現在就奉上一個瓦盆，請秦王敲擊，以爲娛樂。』

秦王看到藺相如的舉動，大爲生氣，當然不肯敲擊，藺相如手捧瓦盆，

跪在秦王面前，嚴肅地說：『五步之內，我藺相如願意以頭頸上的血濺到大王身上。』

藺相如的話，充滿了威脅，很明顯地，如果秦王不肯敲擊瓦盆，藺相如就要行刺秦王，和秦王同歸於盡。秦王的左右拔出刀來，藺相如用憤怒的眼神掃射過去，秦王的左右嚇得不敢動。

秦王眼見情勢不妙，藺相如距離自己太近，如果動起手來，左右的人恐怕來不及救援，自己非死即傷。於是，只得勉強對瓦盆敲擊一下。

藺相如馬上召來趙國的史官，叫史官寫下來，『某年某月某日，秦王爲趙王擊瓦盆。』這算是對秦國的回敬。

澠池之會，秦趙兩國針鋒相對，由於藺相如的機智勇敢，秦國一點便宜也沒佔到。秦國又想以武力刼持趙王，卻怕廉頗屯集在邊境上的精兵，最後只好作罷，放趙王回去。

趙王對藺相如的表現萬分激賞，回國以後，論功行賞，封藺相如為上卿，也就是宰相，成為羣臣中官位最高的人。

廉頗是趙國的名將，戰功彪炳，他十分不服氣藺相如竟然官位比他高。於是對朋友們說：『我有戰場上的大功，而藺相如不過有口舌之勞，他憑什麼官位比我高？我不願意居他之下，我如果見到藺相如，我非羞辱他不可。』

藺相如聽到廉頗對他不滿意的消息，便設法躲避，不肯和廉頗見面。上朝的時候，如果廉頗來了，藺相如就請病假。

有一次，藺相如坐車上街，遠遠望見廉頗迎面而來，立刻命令車夫把馬車駛入另一條街，躲避起來。藺相如的隨從人員看到這種情形，心裏大不以爲然，就向藺相如說：『我們跟隨你，是佩服你的勇敢。現在你的地位和廉頗相等，你卻那麼害怕廉頗，見了廉頗竟要躲了起來，連平常的人這樣做都會覺得沒有面子，何況你身爲宰相啊！我們實在看不慣，感覺到眞是丟臉，我們不想再跟隨你了！』

『慢點！』藺相如舉手阻止那些準備離去的部下：『你們看廉將軍和秦王那一個比較厲害？』

『當然是秦王比較厲害。』部下們異口同聲地說。

藺相如點點頭，用爽朗而堅定的語調說：『以秦王那麼大的威勢，我藺相如竟敢在宮殿上指責他，而且沒有把秦國的羣臣放在眼裏。我雖然笨，但怎會單單只害怕廉將軍呢？我只是想到，強大的秦國爲什麼最近不敢來侵犯趙國，那是因爲害怕廉將軍和我兩個人。如果我和廉將軍互鬥起來，造成兩敗俱傷，甚至兩個人都死了，這正是秦國求之不得的事。我要躲廉將軍不是怕廉將軍，而是怕萬一和廉將軍衝突起來，對國家不利，我覺得一切事情要先以國家爲重，私人的怨恨放在後面慢慢解決啊！』

『先公而後私，多偉大的胸襟啊，請原諒我們的無知吧！』隨從的人都跪在藺相如的脚下，他們現在才眞正了解，藺相如是一個多麼令人敬佩的大丈夫。

藺相如的話很快傳到廉頗的耳朵裏，廉頗深受感動，立刻跑到藺相如的家裏，肉袒負荊（肉袒就是把衣服脫下，露出肌膚，負是背的意思；荊是一種灌木，可以削來做成鞭子打人。肉袒負荊就是裸露上身，背上背著一根鞭子）向藺相如請罪。

『我是一個鄙賤的人，不知道你是如此寬大，請原諒我吧！』廉頗在藺相如面前跪下來。

『請起，請起！』藺相如連忙扶起了廉頗，『只有我們內部團結，敵人才不敢前來侵犯，如果我們內部相爭，秦國很容易就會消滅掉我們。』

『是的，我們要團結，爲了國家而團結！』廉頗緊緊地握住藺相如的雙手。

這兩個趙國的將相從此結爲生死之交，是趙國之幸。同時，廉頗的『負荊請罪』也成爲一段歷史佳話。

閱讀心得

【第31篇】

# 養士裝狗救了孟嘗君。

戰國時代養士風氣盛行，王公貴族和當權大臣都爭著養士。這些士，有些是文人，也有江湖客，三教九流，各色人物都有。有的貴族門下養了幾千名食客，供吃供穿供住。他們養這麼多士是有用處的。

孟嘗君名叫田文，他父親田嬰是齊國的貴族，曾經擔任宰相，田文是五月初五出生的。根據迷信，這天生的小孩長大了會剋父母，田嬰主張殺掉；可是田文的媽媽捨不得，偷偷把他撫養長大。到了五歲時，田嬰有天發現自己的兒子沒死，大發脾氣。

田文毫不畏懼，仰著小臉問田嬰：『爸爸，你爲什麼討厭我？』田嬰説：『五月五日不吉利，這天生的兒子長大後，會長得和大門一樣高，會剋父母。』田文説：『咦，把門加高就行了。』他父親被這句話問住了，心中卻對田文的聰慧非常讚賞，當然也就不再殺兒子了。

等到田文十幾歲時，擅長交際應酬，賓客們都喜歡和他親近，連外國使者到了齊國也紛紛要求見田文。他父親死後，田文就繼承爵位號爲孟嘗君。

孟嘗君這個人最好交朋友，他繼位後大興土木蓋館舍，招待天下賓客。凡是到他那兒的，不管有沒有才幹統統收留。若是某人惹了麻煩找孟嘗君

幫忙，他也從來不會拒絕。

孟嘗君雖然地位高，但他的生活和賓客完全一樣。有次，他和賓客們一塊用晚餐，有人用手遮住了他面前的燭光，有個客人說：『啊，一定是孟嘗君的碗裏有好菜怕咱們看見。』當場摔了筷子就走。孟嘗君知道原因後，趕快捧著菜去讓他看，果然菜是一樣的。那個客人羞得面紅耳赤，拿出佩刀就自殺了。孟嘗君親自爲他辦喪事，而且哭得淚如雨下，其他賓客看了深受感動。以後去投奔孟嘗君的愈來愈多，每次開飯常有三千人用餐。別的國家聽說齊國有如此的賢人，對齊國也敬畏三分。

秦王特別派人去見齊王，表示想見孟嘗君的盧山眞面目。秦國是虎狼之國，齊王不敢得罪，於是孟嘗君便率領一千多名賓客到了秦都。

秦王看到他，高興得走下臺階拉著他手問好，孟嘗君立刻獻上厚禮——一件白狐裘，毛有二寸長，又細又軟像雪一般耀眼，價值連城，天下無雙。秦王高興得馬上穿起來，跑到後宮向寵妃燕姬誇耀。

燕姬一撇嘴一扭腰：『這種皮袍多得是，有什麼神氣？』

秦王摸著衣裘叫道：『狐狸要長到幾千歲，毛的顏色才會變白，這件皮袍，是用狐狸腋下一片小毛連成的，你看要多少老狐狸的毛？還說不名貴！』接著，小心翼翼脫下收起來。

秦王很欣賞孟嘗君，想請他當秦宰相。秦國宰相嚇得託人去告訴秦王：『當心孟嘗君當了宰相後出賣秦國。』

秦王說：『那麼讓他回去吧。』手下人卻說：『不行，他和他的一千多名客人在這兒住了一個多月，把秦國摸得一清二楚，如果放他回國太危險，不如殺了以去後患。』秦王一時還下不了決定。

孟嘗君得到消息，不知怎麼辦才好，秦王的弟弟與他私交不錯，建議道：『我哥哥最聽燕姬的話，你不如找她說說看。』孟嘗君馬上帶著白璧去求見，沒想到燕姬說：『白璧不希罕，我喜歡白裘，你送我一件吧。』

可是，唯一的一件白裘已送給秦王了，怎麼辦呢？孟嘗君焦急的踱來踱去，這時有個賓客站出來說：『我有辦法，我會學狗叫，可以混進宮，把白裘偷來。』孟嘗君回頭一看，原來是個以前當小偷的樑上君子，他高興的說：『眞是天不絕我。』

到了晚上，那賓客披了一件狗皮，偷偷爬進寶庫，『汪汪』的叫著，守衛們毫不理會。等到守門的睡了，這妙賊就用鑰匙打開櫃子，偷到白狐袍。孟嘗君立刻將它又送給燕姬，燕姬十分開心，便勸秦王：『孟嘗君到我國來友好訪問，你竟然要砍人家的腦袋，以後有才能的人誰敢來秦國？』秦王想想有理，下令發還孟嘗君的馬車，放他回國。

閱讀心得

# 【第32篇】馮驩替主人買得仁義。

孟嘗君帶領許多賓客到秦國訪問，並送給秦王一件珍貴的白裘。秦王聽了宰相的話，覺得留著孟嘗君對秦國不利，準備殺了他。他向秦王寵妃燕姬求情，燕姬要求以白裘爲代價，孟嘗君的賓客把送秦王的白裘偷回轉送燕姬，如此秦王才放了他。

話說孟嘗君等一行連夜趕到函谷關，這是離開秦國的關口，出了關，秦國就沒法管了，可是，函谷關規定，天亮開門，天黑關門，孟嘗君等人來到函谷關時，天還未亮，城門尚未開。他正怕秦王忽然反悔派兵追來，不知如何是好時，忽然間，『喔！喔！喔！』公雞叫了。原來又是孟嘗君的賓客搞鬼，用口技裝雞叫；別的雞以爲天亮了，也跟著啼叫不已，守門的士兵急忙揉著眼睛來開城門，孟嘗君乘機溜出城。靠著這些『雞鳴狗盜』的賓客，總算逃出了魔掌。

秦國宰相聽說秦王放走了孟嘗君，大驚失色道：『大王啊，你就是不殺孟嘗君，也該留著做人質，怎麼可以讓他走呢？』於是秦王馬上派兵去追，早就追不上了。正在這時，又看到燕姬披著白裘走過來，秦王立刻明白怎麼回事，不由得長嘆一聲：『孟嘗君有鬼神難測的天機，果然是天下賢士啊！』

因此，孟嘗君的名氣更響亮了。他經過趙國時，趙國人紛紛跑出來瞻仰他的風采。一看之下，大失所望笑道：『原以爲他是個魁梧的偉丈夫，沒想到又小又矮，眞不像樣。』到了當天晚上，所有嘲笑孟嘗君的人的腦袋都搬了家，人們知道準是孟嘗君賓客幹的事，就都不敢吭聲了。

孟嘗君回到齊國，齊王對他更加重用，來投奔他的賓客愈來愈多。他把賓客的待遇分爲上中下三等。一天，有個穿得破破爛爛的彪形大漢來見，説自己叫馮驩，是齊國人。他説：『聽説你喜歡賓客，不論貴賤都收，所以我就來啦。』孟嘗君便打發他住在下舍。過了幾天，孟嘗君問下舍長（管理下舍的人）：『新來的賓客平常做些什麼？』舍長説：『那位馮先生很窮，只有一把長劍。每次吃完飯便舞著劍唱：「長劍啊，我們回去吧！這兒沒有魚吃。』孟嘗君笑道：『這是嫌菜不好。』於是把馮驩遷到中舍。過了五天，中舍長報告：『馮驩仍舞劍唱歌，只是歌詞改爲「長劍啊，我們回去吧！這兒沒車。」』孟嘗君立刻把馮驩搬到上舍，馮驩每天乘車日出夜歸，又唱：『長劍啊，我們回去吧！這兒無以爲家。』孟嘗君皺眉說：『眞是貪得無饜。』但還是派人伺候馮驩，從此馮驩不再唱了。

過了一年多，管家的來報告：『錢和糧食只夠一個月用了。』原來孟嘗君是靠收薛城的租稅和利息來養賓客的。孟嘗君一查借據，發現欠他錢的人很多，就問左右：『有誰能替我收薛城的債？』下舍長說：『那位馮先生沒有什麼長處，人倒還忠厚老實。』於是，孟嘗君徵詢馮驩的意見，馮驩果然滿口應諾。

薛城一萬多家幾乎都借了孟嘗君的錢，聽說孟嘗君派人來收利息，去繳錢的很多，共有十萬塊。馮驩用這筆錢買進大量牛肉、美酒，貼出告示：

『凡欠利息的，無論能否償還，請明天來核對借據。』

因爲有酒有肉，第二天，大都趕來了。馮驩讓他們大吃大喝，自己在一旁觀察，看看是不是眞的窮苦。吃完後借據逐一核對，知道他生活還過得去的，便約定寫明償還日期；眞正貧困的都跪在地上懇求寬限幾天。馮驩一言不發，把一疊窮人借據統統用火燒光了，並說：『孟嘗君借錢給你們不是爲求利，是擔心你們不能過日子。可是他養了幾千賓客，收入不夠開支，你們還得起的，請一定在約定日期還來，實在還不起的也就算了。』百姓都磕頭歡呼：『孟嘗君眞是我們再生父母。』

早有人把馮驩『發神經』的事飛快稟告孟嘗君了，孟嘗君氣得半死，派人催馮驩回去。馮驩空著雙手笑嘻嘻進來，孟嘗君故意說：『你辛苦了，帳都收來了吧？』馮驩說：『不但收了帳，還收了人心！』孟嘗君立刻臉色大變，馮驩趕忙解釋：『我不請酒肉，欠債的根本不會來，能還的已訂下還錢日期；還不起的，把他們逼急了只有逃亡；薛城是封給你的，他們不安居，你如何能安心。我幫你贏得仁義之名還不好嗎？』孟嘗君心中大不以爲然，但借據被燒掉了，也只好無可奈何的苦笑謝謝馮驩。

因爲孟嘗君離開秦國，秦王很不開心，就散佈謠言說：『天下只知孟嘗君，不知齊王。』齊王中了計，罷孟嘗君相位，貶歸薛城。孟嘗君的賓客見他不得志，統統走光了，只有馮驩不忍離去，並爲他駕車。還沒走到薛城，薛城的百姓便扶老携幼爭著獻酒獻肉。孟嘗君嘆道：『這都是馮先生爲我收得的效果。』馮驩説：『還不止此呢，你借我一輛車更有得瞧！』

馮驩拿到了車，先去見秦王，建議秦王用孟嘗君，然後又去見齊王，警告他：『倘不用孟嘗君，就要被敵國搶走了。』齊王起初不信，派人到邊境一看，果然秦國派了十輛馬車，載著百鎰黃金來了，趕忙恢復孟嘗君相位，再加封食邑千戶，當然散去的食客又一個個奔回了。

戰國時代養士風氣盛行，是因爲能提高自己及國家的威望，有時所養的賓客確能盡忠効命。可惜他們多半過分看重財利，未必是道義之交。像馮驩這種人並不多。

閱讀心得

【第33篇】

# 信陵君救趙。

戰國時代有四大公子：齊國的孟嘗君、魏國的信陵君、楚國的春申君及趙國的平原君。他們都是以養士而著名的人物。上次我們介紹了孟嘗君，現在再講一個信陵君的故事。

信陵君是魏昭王的小兒子，名叫無忌。對人有禮貌，又非常謙虛，最喜歡交朋友。他和孟嘗君差不多，也養了三千食客。

魏國有個叫侯嬴的老人，七十多歲了，仍在做守門的小官。他學問道德都很好，人們尊稱爲侯生。無忌親自駕車去拜見他，還帶了四百八十兩黃金作見面禮。沒想到侯生把錢統統退還道：『我從來不平白無故拿別人的錢，對你也不能例外。』無忌很失望，不敢勉強，心中對他卻更欽佩。

有一天，無忌請客，魏國所有的貴族大官都到齊了。大家坐定後，只留下左邊的首席是空的，公子無忌親自駕車去迎這位貴客——侯生。侯生也不客氣，大搖大擺坐上車，而且對駕車的人說：『等一下，我要先繞道去看個老朋友。』

到了一家肉店門口，侯生便下車去找屠夫朱亥聊天，兩個人對坐在肉案子前談得很起勁。侯生還不時斜眼偷看無忌，看看他是否有不耐煩的表情，無忌臉色倒很平和。無忌手下的幾十個人見侯生嘮叨個沒完，討厭極

了，有的甚且偷偷咒罵他。

等到侯生談夠了，已是下午時分。在無忌家等待吃中飯的客人，肚子都餓極了，以爲一定是在等了不起的貴人。聽說『回來了！』連忙都趕到門口去迎接。結果一看，竟然是個邋邋遢遢的糟老頭，不禁楞住了！等到客人們知道侯生是個小小的守門官，心中很不以爲然。侯生也不管這些，神氣的坐在首席，大嚼大吃起來，並對無忌說：『我不跟你客氣，就是要大家因此更欽佩你。』客人們聽了都掩著嘴暗笑。

席散後，侯生成爲無忌的上客。侯生向無忌推介肉販朱亥，無忌就常常去肉舖看朱亥。朱亥從不回拜，無忌也不怪他。

無忌的姊姊嫁給趙國的平原君，剛好魏王又任命無忌當宰相，因此魏趙兩國關係很好。有一年，秦王出兵打趙國，魏王派大將晉鄙去救趙國，秦王馬上威脅魏王：『誰敢救趙，我就先攻打誰。』嚇得魏王叫晉鄙不要出兵，駐紮在鄴下。

無忌急得要命，輪流派會說話的賓客去勸魏王出兵，魏王總是不答應。最後，無忌決定率領一千多賓客去對抗秦軍，爲平原君犧牲。經過城門時，侯生只淡淡地對無忌說：『公子多保重，我年紀大了，無法跟你去，別見怪！』無忌很難過的走了十幾里，心中哩咕著：『我對侯生不錯呀，這次顯然是一去不回了。侯生竟然不勸阻我，也不出計謀，眞是十分奇怪。』於是，就讓大家暫等一會兒，他獨自回去找侯生，賓客們都說：『這種半死老翁，你找他有何用？』

侯生站在城門口，看到無忌的車騎笑道：『我早猜到你一定會回來。』無忌問：『爲什麼？』侯生說：『你待我很不錯，現在你去冒險，我居然不送你，你一定恨我，所以我曉得你會回來。』無忌不好意思地笑笑：『我怕有什麼地方對不起你，特地回來問問。』

侯生說：『你養賓客幾十年，沒聽說誰出過好主意。你去碰秦兵，有如用肥肉餵餓虎，有什麼用？』接著，侯生便獻上一條妙計：魏王的寵妃如姬的父親被人害死，無忌的賓客幫她報了仇，因此她對無忌非常感激。現在晉鄙的兵符掛在魏王的臥房裏，不如拜託如姬把兵符偷出來。無忌一聽非常開心，馬上照著去做。第二天，如姬就把兵符偷來，交給無忌，侯生又建議由大力士肉販朱亥陪同一起前去，以備萬一。然後侯生說：『按道理我當隨行，可是老夫老了，讓我的靈魂陪你去吧！』說罷自刎而死，無忌想阻止也來不及，只能悲痛地對侯生的屍體下拜。

無忌趕到鄴下，見了晉鄙說：『國君怕你太累，教我來代替你。』並掏出兵符給他看。晉鄙覺得很奇怪，心想：『我又沒犯錯啊！』口上說：『實不瞞你，這是軍機大事，我還要奏請王上問個清楚。』話沒說完，殺豬的朱亥大喝一聲：『你不聽從王命，想造反嗎？』掄出袖中四十斤重的鐵鎚，對著晉鄙的頭便是一擊，腦漿迸溢，當場氣絕。

晉鄙的手下都看呆了，誰也不敢吭聲兒，乖乖接受無忌指揮。無忌一鼓作氣，率領賓客打前鋒，魏國大軍殿後，向秦軍進攻，秦軍沒有想到魏兵會突然來進攻，驚惶失措，吃了一次敗仗，趙國的危機也隨之解除了。無忌便靠著賓客的幫忙，漂亮的打了一場大勝仗。

閱讀心得

【第34篇】

# 蘇秦做了六國宰相。

戰國時代七雄（七雄是七個強國，齊、楚、燕、趙、韓、魏、秦）並起，到了後來秦國最爲強大，尤其秦國打敗魏國後，就像是猛虎出了獸籠。

於是，蘇秦提倡『合縱政策』，就是聯合其他六國來共同抵抗秦國。

蘇秦是洛陽人（今河南省），他和張儀曾一同拜鬼谷子爲老師，學成以後下山回家。在家裏待了幾天後，蘇秦想到各國去活動一下，謀個一官半職，於是請求父母變賣家財充當路費。他母親、嫂子、太太都不贊成，反覆勸他：『你種田或是做生意賺錢都可以，卻想憑著一張嘴巴求取富貴，這不是開玩笑嗎？將來連飯都會沒得吃！』

他兩個弟弟也勸他：『你還不如求周天子，在本鄉也可以出名，爲什麼要到外國去呢？』原來洛陽是周天子直接管轄的地區。蘇秦遭到全家反對，只好去見周天子。周天子的手下知道蘇秦家裏窮，認爲他不會有什麼本領，沒有人肯在周天子面前推薦他。結果蘇秦在賓館裏待了一年，連周天子的宮門都從未踏進一步。氣得他回家賣了家產，換了兩千四百兩黃金，做了一件昂貴的黑貂皮大衣，買了豪華的馬車，僱了幾個傭人，然後，周遊列國，考察山川地形，人物風土。旅行了幾年，卻沒有一個君主肯用他。

這時商鞅在秦國變法，很得秦王重用，蘇秦準備也到秦國求發展，沒

想到等他到了秦國，商鞅已死。新即位的秦惠王最討厭獻計的謀士，不願意接見蘇秦。可憐的蘇秦錢用光了，黑貂皮大衣穿破了，折騰幾年仍舊是個無業遊民，只有把車馬賣掉作爲路費，一個人扛著行李顚顚簸簸的走回家。面容憔悴、烏黑，看來像個病人。

蘇秦，回到家，他太太正在織布，見蘇秦回來，連眼皮都懶得抬起來；他的爸爸媽媽繃著臉不理他。蘇秦餓得受不住，請嫂嫂做點吃的東西，他嫂嫂一翻白眼喝道：『家裏沒柴啦。』蘇秦難過得眼淚直流，現在他知道沒有眞才實學，光憑口才好是沒有用的，從此痛下苦功求學問。

讀書本來是一件苦事，蘇秦發憤讀書，爲了怕自己偷懶貪睡，想了一個法子。他一瞌睡，就用尖尖的錐子猛刺自己的大腿，鮮血直流，痛得睡不著，只有繼續苦讀。同時，他仔細研究天下大勢，對列國局勢有了深切的了解。如此過了一年，然後向弟弟借了路費，告別家人，又上路了。

此時戰國七雄之中，仍以秦國最強大。但是上回蘇秦已在秦國碰了壁，不敢再去冒險。於是他日夜苦思，想出一個偉大計畫——『合縱』。那就是聯合韓、趙、魏、楚、燕、齊六個國家同一陣線對付秦國，孤立秦國。可是六國之間，仍然明爭暗鬥彼此不合，虧得蘇秦憑著三寸不爛之舌到各國去遊說，才使合縱計畫能夠完成，而且這其中有部分是靠了他利用老同學張儀的關係。其中有段有趣的故事在這兒先賣個關子，大家看了張儀的故事就明白了。

六國聯合的陣線結成了，六國同時請蘇秦當宰相，蘇秦佩六國的相印，可夠神氣了。他的車隊走在路上，前前後後有二十里長，各國的官員遠遠望著車子揚起的塵土下拜。以前不屑見蘇秦的周天子，現在聽說他要回洛陽，居然先派人清掃道路，在郊外爲他搭了帳篷，裏面擺滿了好吃的大菜供他享用。

蘇秦的老母親扶著拐杖站在路旁觀看，嘴裏讚個不停；他的兩個弟弟、妻子及嫂嫂跪在道路旁迎接，頭不敢抬，眼睛也不敢向上望。蘇秦在車裏斜著眼對他嫂嫂說：『咦，你以前不是不肯做飯給我吃嗎？現在又何必這麼客氣？』蘇秦的嫂嫂說：『你現在有錢又有勢，和從前不一樣了。』

蘇秦嘆了一口氣，把家裏的人接上車，共享榮華富貴。

像蘇家這般實在太勢利了，不值得效法。但也要記著：人要有本事，才抬得起頭！

閱讀心得

# 【第35篇】張儀的舌頭。

上篇故事中，說到『蘇秦當了六國宰相』用『合縱政策』對抗秦國的故事。我們再看看秦國方面的主要人物——張儀的故事，而且跟蘇秦還有很微妙的關係哩。

張儀是魏國人，和蘇秦一同拜在鬼谷子門下學外交。學成以後，本來想在魏國找事做，可是因為家裏窮，沒有辦法用紅包買通魏王的手下，因此見不到魏王。只好到楚國，在宰相昭陽家中當門客。

昭陽帶軍攻打魏國，連下七城。楚王很高興，就把最寶貴的和氏璧（是一塊無瑕疵的玉）賞給他，昭陽也覺得非常光榮。爲了擔心被人偷走，他時時刻刻把它揣在懷中，常常摸一摸，看一看，愛得不得了。

有一天，昭陽帶著一百多個賓客到赤山去玩。那兒風景美麗極了，尤其是赤山下的深潭，相傳姜子牙曾在此釣魚，更增加了它的傳奇性。大家飲酒作樂喝得醉醺醺時，幾個客人一起央求昭陽把和氏璧拿出來，讓大夥也開開眼界。

昭陽答應了，很慎重、小心的把這無價之寶捧出來。哇！這和氏璧眞是美極了。大家一個個傳觀，每個人都不停地點頭，讚不絕口。正在此時，忽然有人叫：『潭中有大魚躍起！』昭陽連忙跑過去依著欄杆觀看，其他

賓客也紛紛靠過來看。那大魚跳起來有一丈多高，驚得許多小魚也跟著跳躍不已。正看得起勁時，忽然雷聲轟轟，似乎馬上要下大雨了。昭陽便吩咐：『回去吧！』可是在這一陣混亂中和氏璧竟不見了。誰也記不得剛才傳到那個人手中？亂了一陣子仍找不到，昭陽十分憤怒只好回府。

有一個手下人說：『張儀那個窮小子，品行向來不好，這璧玉一定是他偷的。』剛好昭陽心裏也懷疑張儀，就叫人把張儀五花大綁，狠狠用竹子猛抽拷問，打得遍體鱗傷，奄奄一息。但是張儀實在沒有偷，怎麼交得出和氏璧呢？當然抵死不肯承認。毒打一番後，昭陽便一腳把張儀踢出大門。

張儀一拐一拐的回到家，他太太看見心疼死了。一面幫他敷傷，一面忍不住埋怨：『哎，要是你安分守己種田過日子，怎麼會碰到這種倒楣事？』張儀張開大口，很緊張的問：『我舌頭還在嗎？』他太太笑道：『還在。』張儀說：『舌頭在，就是我的本錢，你等著看吧。』休息一段日子後，又回魏國去了。

過了半年多，張儀聽說老同學蘇秦在趙國很得意，打算去拜訪他。正準備出門，在門口遇到從趙國來的賈舍人，便再求證道：『蘇秦眞的當了趙國的宰相嗎？』賈舍人說：『當然。』而且還邀張儀同往趙國。到了趙國邊境界，賈舍人說另有他事便分手了。

第二天，張儀帶了名帖去見蘇秦，到了相府門口就被門房一口回絕，說是蘇秦不見。第三天還是不見。到了第五天，名帖總算送進去了，卻說宰相忙，改天再來吧。張儀氣得要回魏國，但旅館老闆說：『你的名帖已給了宰相，萬一有一天他來這兒要人怎麼辦？』硬不准張儀走。張儀又煩又悶，最後決定去向蘇秦告別。這次，蘇秦雖然沒有接見，但告訴看門的：

『叫他明日再來。』

張儀簡直氣壞了，但也無可奈何。爲了追求富貴榮華，也只好耐著性子等待。

閱讀心得

## 【第36篇】蘇秦和張儀鬥法。

魏國人張儀在楚國宰相昭陽門下爲賓客，昭陽的寶貝和氏璧在傳觀的時候被人摸走了。因爲張儀貧窮，便懷疑是他偷的，把他打得死去活來。張儀倒看得開，他認爲『舌頭還在，就有辦法』。後來聽說他的老同學蘇秦在趙國做到宰相，有意去趙國求發展。剛好碰到賈舍人，兩人便一起到趙國去。沒料到，到了趙國以後，他屢次求見蘇秦，蘇秦都不理睬，盡給他吃閉門羹。張儀正氣得想回國時，這會兒蘇秦卻又說可以見他了。

隔日清晨，張儀便在相府門下守候，蘇秦命人關緊大門，叫張儀自旁邊小門鑽入。他正要踏上臺階，衛兵又喊住他：『相國還在辦公，你等一等。』張儀等了又等，快到中午才喚他進入。一進去，發現蘇秦大模大樣高坐上面也不起身相迎，很輕蔑的招呼著：『餓了吧，吃完飯再說好了！』說著，命人擺張桌子在廳堂下面。蘇秦自己的飯桌上，山珍海味應有盡有，而張儀桌前的呢？一點肥肉，一盤青菜，一碗粗米飯罷了。張儀氣得不想吃，可是肚子實在太餓了，只好低著頭扒飯。一抬頭，卻看見蘇秦給手下的剩菜比自己的豐盛得多，眞是又羞又惱，勉強吃完了飯。這時蘇秦才傳言『請客上堂』，張儀一看，蘇秦仍坐著不動，氣得跳起來大罵：『混蛋蘇秦，我以爲你不忘老朋友，才來投靠你，你爲何如此侮辱我？』

蘇秦慢條斯理說：『你比我能幹，一定會比我有辦法，沒想到你如此狼狽！萬一我推薦你，你又不振作，我豈不倒楣？』張儀怒吼：『噢？我非你推薦不可？』蘇秦冷笑道：『不然，你來找我幹嘛？』說完，丟了一些金子給張儀打發他上路。張儀氣得把金子用力摔在地上，氣洶洶出了相府。回到旅店，卻看到自己鋪蓋已被搬到外頭。老闆說：『宰相一定請你搬到賓館去了吧。』他既付不出房錢，又有口難言。

這時，賈舍人從遠處走來問：『看到相國了？』

張儀越發火冒三丈，大罵道：『休提那無情無義的賊！』接著把經過敘說了一遍。賈舍人說：『我替你付了房錢，送你回魏國吧。』張儀說：『我沒有臉回魏，七國中只有秦可對付趙，我想到秦去，只恨沒路費。』

賈舍人說：『我正要去秦看朋友，咱們一起做個伴吧。』張儀感動得緊緊握著賈舍人的手：『世界上有你這麼好的人，蘇秦聽到了該羞得去自殺。』兩人並八拜爲交，結爲兄弟。一路上，賈舍人爲張儀買衣服、僱僕人，闊氣得很。到了秦國，又拿出一大筆錢做紅包，買通秦王手下爲張儀鋪路，使張儀有機會在秦王面前表現才能。

經過一席商談，張儀馬上被秦王請作顧問，這會兒張儀可揚眉吐氣了。此時，賈舍人急急求去，張儀眞捨不得：『以前我倒楣得要命，全是靠你幫忙，現在我出頭了，正準備報答你，幹嘛非走不可呢？』賈舍人笑道：『其實幫你忙的是蘇秦。他派我假冒商人到魏國去接你，然後又故意待你不客氣，刺激你投奔秦國向他報仇；並拿了一大筆錢，告訴我，隨便你花多少都可以。你才華高，遲早會被秦王發現的，蘇秦正用「合縱」抗秦，能破壞他計畫的就只有你了。請你多幫他的忙。』

張儀感嘆道：『我這個老同學眞有一手，請你代我向他道謝。請他放心，他在趙國一天，我絕不攻趙國。』

後來，蘇秦聯合齊、楚、燕、趙、韓、魏六國，抵抗秦，秦王準備出兵打趙，破壞『合縱』。因有約在先，張儀便勸秦王：『六國剛剛聯在一起，我們一出兵打趙，其他五國一定合力攻我們。不如把公主嫁給燕國，和魏講和，實行先分化，再各個擊破，這樣就能破壞他們團結了。』這就是『連橫』計畫。

果然，魏國上當了。別的國家看見魏國和秦國聯好，心中很氣，開始自相殘殺，姑息共同的敵人。合縱政策便無形中瓦解了，秦國也就輕輕鬆鬆地把六國一個個吃掉。

閱讀心得

# 【第37篇】屈原、張儀、楚懷王。

每年到了端午節，家家戶戶都要吃粽子，人人都曉得粽子是紀念屈原，也曉得屈原是因楚懷王的緣故去投汨羅江而死的。但是其中還牽涉到張儀，恐怕很少聽說過吧。

屈原是個有學識、有操守、忠君愛國的賢臣，然而楚懷王是個愚蠢的君主，不能重用他。當時，齊楚聯合對付秦，原是一條好計策，秦王很擔心，不知怎麼辦，張儀對秦王說：『我憑三寸不爛之舌，一定能使楚懷王斷絕與齊國的關係。』秦王就派張儀去做破壞工作。

楚懷王久聞張儀大名，認爲秦國派張儀出使楚國，他臉上很有光彩，因此親自到郊外去迎接。很客氣的請問張儀：『有何見教？』

張儀就說了：『現在天下只有齊、秦、楚三國最爲強大，秦和齊聯合，齊就強大；秦和楚相和，楚便興盛。現在秦王願意以秦女爲楚妾，秦楚結爲姻親，而且答應把商鞅佔領楚國的六百里地，歸還給楚，你看如何？』

楚懷王樂得猛點頭道：『哎，不好意思，不好意思，秦王怎麼對我這麼好呢？』底下的群臣也都開心萬分，這時有個大臣陳軫卻站出來說：『不可，不可，這件事該哀悼不該慶賀。』楚懷王瞪眼道：『平白無故得六百里地還不高興？』陳軫說：『你以爲張儀這個人可以相信嗎？』

屈原在一旁已忍了很久，這時也開口了：『張儀是個反覆無常的小人，絕對不可聽他的鬼話連篇！』楚懷王認爲屈原得罪張儀大爲不該，忙向張儀賠罪，同時派人隨同張儀前往秦國接收六百里地。

張儀帶領了楚國使者到了秦國。快到秦國首都咸陽城時，他忽然假裝酒醉，失足落到車下。左右把他扶起後，張儀唉聲嘆氣：『糟了，我足脛扭傷了，要趕快看醫生。』於是把楚國使者留在旅館，他自己回家養傷，一養就是三個月，不出門也不上朝。

楚國的使者等得不耐煩了，就上書秦王，請他趕快交出六百里土地。秦王回答：『既然張儀和楚王有約，我一定守約，只是現在張儀在養傷，我怕被楚王詐騙，還是等張儀上朝問清楚再談吧！』

這時，屈原又勸楚懷王別上當了，但楚懷王不理，反以爲秦王不明白自己與齊斷交的決心，竟然派一個人去齊國，把齊王大大辱罵一番。齊王沒頭沒腦受了侮辱，一怒之下，和楚國翻臉，反過來低聲下氣的向秦國結交。張儀一看齊、楚兩國的關係，果然被他的詭計破壞了，病馬上痊癒，張儀召見楚國使者說：『可賜你們六里地。』

明明講好是六百里，怎麼變成了六里？楚國使者當然抗議，然而張儀毫不理會，還裝模作樣說：『楚王恐怕聽錯了吧，這些領土是好不容易才攻下的，那裏會隨便送人？』楚懷王知道中計了，惱羞成怒，發兵攻秦，但楚軍又打不贏，不得已只好跟秦議和。楚懷王的唯一條件是要求得到張儀，甚且願意白白獻上黔中地方。

秦王知道楚懷王想殺張儀洩恨，認爲張儀絕不可送入虎口。沒想到，張儀竟自告奮勇去楚國，他相信自己不會有危險。

張儀到了楚國，他買通奸臣靳尚幫忙說話，又跑到楚懷王寵姬鄭袖面前說道：『秦王不知楚懷王生我氣，才派我出使楚國。現在聽說楚懷王要殺我，秦王將還給楚失地，並派一個會唱歌的美人來贖我的罪。美人一到，你就得打入冷宮了！』

鄭袖急死了，這時奸臣靳尚獻上一計。鄭袖哭哭啼啼的去見楚懷王，表示要離開他，因爲如果楚國把張儀殺了，秦一定會來攻打楚，那她自己的命也不保了。靳尚又在旁添油加醋，勸楚懷王別輕易丟棄黔中地方。懷王被美人沖昏了頭，竟然放張儀走了。

屈原當時不在國內，回國後聽說了這一件荒唐事，乃上諫懷王：『以前大王被張儀騙得團團轉，這回張儀自投羅網，你不吃他的肉，反而聽他一派胡言，準備事秦，將遭天下共憤。』楚懷王這時才醒過來，派人去追張儀，早就追不到了。

但是昏庸的楚懷王一會兒又上當了。秦王騙楚懷王說：『秦國美女天下無雙，請到秦國面談。』好色的楚懷王一聽就心動，起身到秦國去，屈原怎麼勸都沒有用，楚懷王後來果然就在秦國被害死。其子頃襄王繼位，那知竟然比懷王還要昏庸愚蠢。

屈原活在君王昏庸、小人當道的環境中，滿腔愛國情思不能發揮，怎不傷心失望呢？悲憤之下，投江而死。楚國百姓一向敬仰屈原是愛國的大忠臣；爲了怕魚吃他的屍體，特把米放在竹筒內丟在江內給魚吃，後來演變成包粽子的風俗。這種對忠臣表達敬意的習俗，也就流傳至今。

## 閱讀心得

【第38篇】

# 范雎『死』而復生。

春秋以前，社會階層劃分得很嚴，平民沒有接受教育的機會。到了戰國時代，由於貴族沒落，學術漸漸普及民間。從此以後，只要肯努力，一定能出頭。范雎，就是從窮苦中熬出來的。

范雎是魏國人，學問很好，因爲家中貧苦，沒有人肯向魏王推薦，只好在中大夫須賈手下做事。由於范雎口才不錯，所以當須賈被派去齊國談判的時候，便把范雎帶在身邊。

到了齊國，齊王想起以前燕國攻齊時，魏國曾幫忙燕國，十分憤怒，不肯談判。須賈楞在一旁，呆呆的不知怎麼辦。范雎一步向前，指正齊王，是齊先侵略魏國，燕國看不過去才仗義出兵的……齊王自知有愧，不斷道歉。對范雎的勇敢，佩服不已。

齊王派了人偷偷去拉攏范雎道：『我們國君很欣賞你，想留你在這兒當顧問，請你千萬別推辭！』范雎搖搖手說：『這不可以，一個人不忠心，還算個人嗎？』齊王知道了，更加欽佩，送來十斤金子及大批酒肉，范雎怎樣也不肯收，最後勉強把酒肉留下。

早有人在須賈面前打范雎的小報告，所以須賈連忙找他來問話。范雎告訴須賈經過情形，須賈冷笑道：『他幹嘛不送我禮物，偏偏一心一意討

好你？八成有問題！』回到魏國，須賈報告魏國宰相魏齊，魏齊立刻派人捉拿范雎，審問他：『說！你洩露了什麼祕密？』范雎說：『沒有。』魏齊不相信，命手下把范雎的牙齒打碎，肋骨折斷，扔到廁所，教大家在他身上大便、撒尿，說是處罰賣國賊。

到了晚上，范雎夜中痛醒，哀求守衛：『請你讓我回去，死在家裏，我會重重謝你！』那守衛看在錢的份上，跑去告訴魏齊：『范雎的屍首躺在廁所，又臭又不衛生，不如扔到野外餵鳥。』魏齊沒有反對，於是那守衛便放了范雎，如此，范雎總算死裏逃生，回到家裏。但又怕不安全，趁著夜晚，躲到一個結拜弟兄鄭安平的家中。

第二天，魏齊打發手下去看屍體，手下人說：『捲屍體的草蓆丟在野外，八成被野狗吃了。』又見范雎家人在辦喪事，哭得死去活來，這才放心。

范雎在鄭安平家中療傷，秦王正派人四處訪賢。范雎傷已逐漸好轉，改名爲張祿，到了秦國後，他向秦王建議：『一個國家要和所有國家對抗太難了，離我們遠的國家，不如先和他們和好；離我們近的，先去攻擊，就像蠶吃桑葉一般，由裏到外，一步步啃個精光。』這個狠毒的計策，就是秦國統一天下的法寶——遠交近攻。秦王拍手讚妙，立刻派范雎當宰相。

因爲魏國靠近秦國，秦王準備先伐魏，魏王聽說秦國新宰相是魏國人，派須賈去說個人情。范雎知道了，打扮成一個下人的模樣去見須賈。

須賈一看之下，以爲碰到鬼，嚇得幾乎昏倒。范雎解釋：『我被扔在郊外時，有個秦國商人路過救了我，我就到這兒當傭人，混口飯吃。』須賈看見范雎只穿了件破單衣，冷得發抖，外邊正是大雪紛飛，就拿了件棉袍爲他披上。接著說：『我想見秦宰相張祿，可是沒有門路。』

范雎就回答：『我家主人常去見宰相的，這樣吧，我去借主人的車子來，送你進去。』一會兒工夫後，須賈就坐上了范雎駕駛的馬車。路上的行人不是恭敬的行禮，便是謙讓的閃開。須賈很開心，認爲太風光了。

到了宰相府，范雎說：『我進去問問看能不能接見你？』須賈說：『好，拜託，拜託。』沒想到等了半天，不見范雎影子，忍不住向守門打聽『馬夫』到那裡去了，守門的大叫道：『你八成是瘋子，剛才走進去的就是宰相。』須賈一聽，眼前發黑，默默的脫下衣帽鞋襪，跪在門外，自稱是罪人，要見宰相。

范雎威風八面的坐在堂上，怒聲責問跪在下頭的須賈：『你犯了什麼罪，自己知不知道？』須賈嚇得屁滾尿流，不停打自己耳光。范雎說：『幸虧你今天在賓館招待我吃飯，送我一件棉袍，可見你這奴才還有點良心。滾出去吧，饒你一命。』至於魏齊呢？聽說范雎就是張祿後，十分後悔自己不分青紅皂白，隨便置人於死地。他知道范雎是不會饒過他的，於是便自殺了。

閱讀心得

【第39篇】

# 趙國重用趙括抗秦。

距今二千二百多年以前，在我國歷史上的戰國時代，真是名副其實的戰爭時代。不但經常打仗，而且規模之大、手段之狠，也是令人咋舌的。現在我們來講個戰國史上最慘烈的大戰爭——長平之戰。

大家也許還記得，上一回范雎『死』而復生中，我們曾提到他主張秦國用『遠交近攻』的方式，先結好離自己遠的國家，然後攻打近邊的鄰國，像蠶食桑葉般一個個啃光。好了，現在秦王就照著這個計畫，第一步先與遠方的齊國修好，使他們不會干涉秦國的侵略，然後派大將軍白起攻打韓國。

韓國那裏是秦軍的敵手？三兩下就豎了白旗。秦王很開心，派遣王齕去接收韓國的上黨。上黨的守將馮亭和將領們等商議：『與其降秦，不如降趙，那時秦王一怒，必定攻趙，那麼韓趙兩個便可聯合抵禦秦國。』果然，趙王聽說不費寸兵斗糧，就可平白得到韓國的十七城，眞是撿了大便宜，馬上答應。

馮亭在上黨堅守了兩個月，趙國的援兵還未趕到，只好親往求救。歷史上鼎鼎大名的廉頗大將軍，奉趙王之命，率二十萬大軍浩浩蕩蕩翻山越嶺而來。他一到，先勘察地形。決定在險要山頭，列營築壘，東西各數十，

排列像天上的星狀，並派先鋒趙茄去打探秦兵消息。

趙茄帶了五千兄弟出長平關，走了二十多里，遠遠看到秦將司馬梗領兵迎面而來。趙茄看司馬梗帶的兵不多，便揮兵撲上前去。正在拚鬥激烈，忽有大隊秦兵前來增援，趙茄心慌手慢，便被司馬梗一刀劈下馬來。

廉頗接到報告後，立刻傳令各壘用心把守，勿與秦戰，並且命軍士掘地數丈灌滿了水，沒有人曉得廉頗爲何如此做。同時廉頗又傳令：『誰再擅自與秦交戰，雖勝亦斬。』眞是軍令如山。

秦將王齕的兵不斷前來挑戰，趙軍卻相應不理，秦軍氣得大罵趙軍『懦弱、膽小，有種就出來！』還是沒人出來。秦軍又攻不進堅強的堡壘。情急之下，想出一個方法：截斷水源，使水不東流，想把趙軍弄得沒水喝。

可是廉頗早就貯藏了大量的水，不理會這一套。

如此相持了四個月之久。范雎這個老狐狸就去見秦王道：『廉頗將軍很厲害，知道秦軍很強，不輕易出戰。他用堅壁政策，以逸待勞，這樣耗下去不得了。』然後摒退左右，悄悄的貼著秦王耳朵道：『只有用反間計。』

於是秦王用重金賄賂趙王手下，到處放謠言說：『秦兵只是怕趙括，廉頗老了，不中用啦，連戰連敗，幾天之內就要投降。』趙王先前聽說趙茄被殺，已派人去催廉頗出戰，廉頗不肯，早已懷疑他懦弱，又聽到大家這麼一傳，更深信不疑，覺得廉頗眞替趙國丟臉，決定用趙括代替。

趙王問趙括：『你能爲我擊敗秦軍嗎？』趙括一昂頭一挑眉，自大的說：『如果秦派白起，我還得想一想對付的方法，現在這麼個王齕，算什麼玩意嘛？他啊，欺負廉頗老弱才敢深入；碰到我……哼！』說著一拍胸脯：『管保如秋風掃落葉！』

趙括是趙國大將趙奢的兒子，是個公子哥兒型人物，好戰貪功，有誇大狂卻沒眞本領。趙括的母親很了解趙括的爲人，上書報告趙王：『我兒子雖熟讀他父親的兵書，可惜只是個書呆子，不是大將之才，請王不要派他去。』趙王把趙母召去，趙母又說：『趙奢以軍爲家，不問家事，與士兵同甘苦，有事必與衆人商量，得到賞賜與夥伴同分。趙括趾高氣揚，小兵不敢仰著頭看他，驕傲又專橫，得到朝廷所賜的金銀，統統搬回家，做將軍豈可如此？趙奢臨終時，親自交代我：「我這個兒子若是爲將，趙兵完矣！」知子莫若父，請王三思。』趙母講得十分懇切，可是趙王似乎並不重視，仍然任命趙括爲大將。

閱讀心得

# 【第40篇】長平之戰大屠殺。

趙王沒有聽信趙母的話，終於把廉頗換下，而以沒有作戰才能的趙括代替。

趙括率大軍來到前線，首先把廉頗辛辛苦苦佈置的星狀小營全部集攏，然後宣佈，今後趙軍要改守勢爲攻勢，要還點顏色給秦軍瞧瞧。

秦國方面卻悄悄的把最佳將領白起任爲大將，原來的王齕爲副將，通令全軍『有洩露武安君者爲大將的消息者斬！』武安君是白起的封號。那一個士兵敢透露一點兒風聲，非腦袋搬家不可。秦國本來是個嚴刑峻法的國家，士兵當然曉得這道軍令的厲害。

白起先派了少數部隊去向趙括軍隊挑戰，打了一兩回合就假裝兵敗，拔腿開溜。趙括勝了第一陣那肯罷休，大喊『追啊！』於是派了一隊趙軍前去，到了秦軍壁壘之前，秦軍陣地堅如鐵石，只好留在原處。

此時，白起便按照原先計畫，兵分兩路：一路秦軍（一萬五千人）突擊割斷了攻秦趙軍和趙括本軍的通路；二路秦軍（二萬五千人）則繞道攻擊趙軍後方的糧道並佔領了這地區，使趙軍不能退後。於是，趙軍前後不相連，後方無退路，等於腹背受敵。

趙括這時才聽說是大將白起在秦軍中指揮，嚇得屁滾尿流，不敢再嚷

著要進攻。只好不吭聲的在原地築壘固守，也不想辦法解決問題，於是就只能按照當時形勢彼此耗著。秦王知道這樣相互包圍，是一場馬拉松式的耐力戰，所以親至河內；不但調出所有壯丁，凡年滿十五歲的大男孩也一起調到前線，把秦國的包圍圈一層一層加多。

攻秦趙軍在臨時營壘中困守了四十六天，既無援軍又無糧食，到了後來成爲人吃人的悲慘狀況，非突圍不可，否則活活餓死。這時，他們如果向後突擊，猛攻一路秦軍，和趙括本軍取得聯絡，或許還有一線希望；然而，秦軍十分強大，當初一鼓作氣時尚且攻它不下，如今餓得半死時再攻秦軍，怎可能勝利？難怪連攻四次都敗下陣來。

趙括本軍這時倘若向後攻二路秦軍，取得糧食，即使犧牲攻秦趙軍，也是破釜沉舟的方法。尤其當初秦軍二路在未曾增援前只有二萬五千人，憑趙軍四十萬人的部隊該打得過。但趙括嚇傻了，亂了方寸，坐失良機，眞是可惜。

好了，現在攻秦趙軍四次吃敗仗，第五次攻本壘時，趙括率大軍準備攻秦一路，和攻秦趙軍前後夾擊。精選五千士卒，穿上重甲，騎著駿馬，奪路殺出。趙括一個不小心，馬失前蹄，當場中箭而死。主帥陣亡，四十萬趙國大軍便只有投降秦國。

因爲秦國倡『首功』制，殺敵殺得愈多，功勞愈大。當天夜晚白起下了一道命令：『所有秦軍，明天都用白布裹頭。』第二天清晨，投降的趙兵沒料到會有此一招，手上又沒武器，秦軍見到沒有白布包頭的捉住就砍。

四十萬大軍一天之內殺光，鮮血滙成河川，而且血流淙淙有聲，眞是恐怖極了，殘忍透頂。

秦軍大勝，白起功勞最大，但也因此遭范雎嫉妒。范雎在秦王前面破壞白起，秦王誤信讒言，決定殺了他；但念白起有功，只賜了一把劍，要他自殺。白起臨死前，不禁慨嘆道：『天啊，我有什麼罪竟至於死？』後來想起長平之戰那四十萬白骨又說：『啊，我眞該死，這是報應。』

閱讀心得

# 【第41篇】商鞅自食惡果。

戰國時代七雄並起，最後由秦統一天下，到底秦爲什麼特別厲害？這不能不歸功商鞅。

商鞅是衛國人，姓公孫名鞅。因爲衛國太小太弱，沒有辦法發揮他的才能，剛好秦孝公即位以後，發憤圖強，公孫鞅便投奔秦國。因爲他確實有本事，一去就當了宰相。後來因有功被封於商，所以後人便叫他爲商鞅。他有一套使國家富強的辦法，在正式公佈以前，爲了恐怕人民不相信，就準備了三丈長的木頭擺在南門，下了一道命令：『有誰能把這根木頭移到北門去，賞十兩金子。』一根木頭是多麼容易的事，竟然會有賞金。老百姓不曉得政府搞什麼名堂，沒有人敢動這根木頭。

過了幾天毫無動靜，商鞅又把賞額加到五十兩黃金，大家覺得更奇怪了。這個時候有個年輕人忽然站出來道：『管他的，我去試試看，就算沒有五十兩黃金吧，也不能因此判我有罪啊。』於是他扛了木頭就走，後頭跟著一大堆看熱鬧的民眾。

年輕人把木頭搬到北門以後，商鞅親自召見，誇獎道：『你眞是好國民，來，賞你五十兩金子。』並且說：『我是頂有信用的。』等大家知道這個新宰相說到一定做到之後，新命令便頒佈了。

大家一看新命令，嚇得伸出舌頭說不出話。例如耕田多的不必服勞役；偷懶的到官家去當傭人；殺一個敵人升一級，退一步的，立刻砍頭；一家人犯錯，其他九家如果不檢舉，一同受處罰；打仗有功的，可做官，坐漂亮車子；沒功勞的就是有錢，也只能坐牛車、穿破衣。

新法令公佈後，老百姓看了有的說好，有的說不方便。商鞅把他們統統關起來大罵：『你們只要遵守就行了，嚕嗦什麼？是想阻止法令推行，還是想討好政府？不如一起送到邊境當兵算了。』從此，大家在街上遇到，只敢用眼睛問好，再沒有人敢談論是非。

商鞅認爲咸陽披山帶河，最適宜建都，偏偏太子駟不肯搬到咸陽。商鞅大發脾氣：『太子也不可以不遵守法令啊。』由於不能處罰太子，商鞅就說：『這一定是太子的老師沒把學生教好。』結果太子的兩位老師，一個臉上被刺了字，另一個鼻子被割掉了。

現在大家都領教過他的厲害了。所以，路上丟了東西，沒有人敢把它拾起當成自己的，國內沒有一個小偷；倉庫中糧食堆積如山，人人願爲國家打仗。秦國因此變得有組織、有實力、富強壯大，沒有一個國家比得上。

秦孝公去世後，太子即位爲惠王；太子的兩位老師，一個臉上有字，另一個沒鼻子的，可逮著報仇的機會了。他們一起慫恿道：『這傢伙從不把你看在眼裏，權力一天比一天大，總會造反的。』惠王本來就恨商鞅，便決定幹掉他。

商鞅聽到這個消息，趕緊打扮成小兵模樣逃走。走到函關時，天暗了，到旅舍投宿，老闆說：『我們宰相公佈的法令說，不許收留沒有身分證的，誰敢違背，誰就丟腦袋！』商鞅嘆口氣道：『哎，沒想到我訂的法律要害死我自己了。』只好連夜裏混出關外，逃到魏國。魏王正氣商鞅幫助秦國打敗魏國，馬上把商鞅交給秦國。

秦惠王把商鞅押到大街上，把商鞅的頭、兩隻手、兩隻脚，分別拴在五頭牛的身上；五頭牛往五個方向一跑，商鞅活活的被拉成數段慘死。百姓恨透了商鞅，一起撲下來吃他的肉，一會兒就吃光了。

秦國如果沒有商鞅變法，絕不可能如此富強。可是，他的手段過於殘酷，所以不得民心，不得好死。

閱讀心得

# 【第42篇】秦國的反間計。

李斯是楚國人，到秦國去尋找做官的機會，不巧正遇上呂不韋自殺，秦王政下了一道命令，要把所有從外國來的賓客，全部逐出秦國。

李斯立刻寫了一封信給秦王，這封信的大意是說，秦孝公用商鞅，惠王用張儀，昭王用范雎，都使秦國強大起來。而商鞅、張儀、范雎都不是秦國人，都是外來的賓客，對秦國卻有極大的功勞，外國的賓客有什麼地方對不起秦國？如果秦國對許多有才能的人，因爲他們不是秦國人而驅逐出去。這許多有才能的人投向別國，幫助別國對付秦國，這等於把自己的食糧和武器送給敵人，秦國必定完全陷於危險之中。

秦王政看了李斯的信，覺得李斯的話很有道理，於是，立刻取消了驅逐賓客的命令。

李斯在秦國任官以後，向秦王提出的第一個計策便是反間計。李斯建議：

秦國暗中派一大批間諜，滲透到東方六國的政府之中，先用金錢勾結各國有名的人物，希望他們不反對秦國。如果有不貪金錢不肯歸順秦國的人，就派刺客去暗殺他們。

如此一來，東方六國的忠臣漸漸被秦國消除了，剩下一些貪錢又怕死

的臣子，又受到秦國的威脅利誘，不敢反對秦國，東方六國就一天一天衰弱下去。

不久，有一個名叫尉繚的魏國人也向秦王政建議：『以秦國強大的兵力，是不怕東方任何一個國家的。但是，卻要防備東方六國聯手，突然攻擊秦國。

『如果秦國能用大量金錢，收買六國的大臣，使他們不能聯合一致對付秦國。再使用反間計，使他們大臣自相殘殺。秦國只要花三十萬金，六國就會自己衰敗了。』

秦王政對於李斯、尉繚的計策都很贊同，於是，反間計便實行了。其中，最成功的一次，該算是對趙國的反間計：

原來，秦王政十三年，秦王派桓齮領兵攻擊趙國的平陽，大破趙軍，趙國的將軍扈輒戰死，趙軍死傷達十萬人之多。

這時，趙國的名將李牧正在北方抵擋匈奴，他曾經打敗匈奴的十幾萬騎兵，使匈奴不敢再犯趙國。

趙王得到秦軍在平陽把趙軍打得大敗的消息，立刻把李牧調去抵抗秦軍。李牧接到消息以後，帶領人馬南下，在宜安地方，和秦軍相遇，李牧勇敢地打敗了秦軍，逼使秦軍退出趙國。

十五年，秦王又派大軍攻趙，但是，又被李牧打敗。十八年，秦王直派大將王翦、楊端和、桓齮等大舉攻趙，但是，又爲李牧所敗，桓齮且爲李牧所殺。這時，秦軍對李牧眞是畏懼萬分。王翦見李牧是如此勇敢善戰，自己很難憑兵力取勝。於是，便使用秦王傳授的錦囊妙計——反間計。

在趙國國都邯鄲的一所高大住宅之中，秦將王翦派出的使者正把一袋一袋的金子交給趙王的寵臣郭開，請郭開在趙王面前說李牧的壞話，郭開是個貪財無恥的人，看到堆積在桌上的黃金，便滿口答應王翦使者的要求。

郭開收起了黃金，匆忙趕到趙王的宮中，假裝成很緊張的樣子，對趙王說：『大王，你知道李牧要背叛我們趙國嗎？』

『甚麼？李牧要叛變？』趙王驚愕地望著郭開。

『是啊，大王不知道嗎？』郭開裝成很正經地說。

『可是……』趙王有些不相信。『李牧不是老打勝仗嗎？』

『沒錯。』郭開說：『李牧爲什麼不乾脆把秦軍趕出趙國？』

『嗯……』趙王沒有直接回答，表示對李牧已經有些懷疑，他沒有想到，誰也沒辦法把龐大的秦國軍隊趕出趙國去。

『大王，你可不能太相信李牧。』郭開裝成很認眞地說：『我可是聽說，李牧正在和秦軍談條件，李牧想投降秦國，但是要求秦王立他爲王。』

『眞是豈有此理。該殺！該殺！』趙王大發脾氣，他一向寵愛郭開，根本沒想到郭開說的全是謊話。

於是，李牧被殺。王翦揮軍前進，沒有任何一個趙國將軍能抵擋得住，不久，秦軍攻入邯鄲，趙國就被滅亡了。

# 閱讀心得

【第43篇】

# 韓非遇到壞心的同學。

韓非是歷史上了不起的思想家，是集法家大成的人物。

韓非是韓國的公子，出身貴族世家。在荀子的學生當中，以他和李斯最爲出名。但是論起成績，韓非又高出一等，李斯很嫉妒他。

韓非有一個大缺陷——口吃。講起話來期期艾艾、結結巴巴叫人討厭。而在戰國時代，口才是非常要緊的。戰國時代，有一位著名的縱橫家，名叫張儀，有一次受人誣賴，被打得鼻青眼腫，回到家第一件事就是張開嘴巴問：『舌頭在嗎？』他知道只要舌頭沒丟就是他的本錢。因爲如果不能雄辯滔滔，君主怎能曉得你有學問？

韓非因爲口才太壞，只有靠寫書宣揚自己的學說。韓非文筆流暢，深入淺出，他寫的這部書《韓非子》，是以後法家思想中最寶貴的經典。

韓非是荀子的學生，承襲了『性惡』的看法。他以爲，人的本性都是自私自利的。譬如說，製作轎子的人，希望人人都富貴，能坐得起轎子；賣棺材的人，希望大家都早點死，他的棺材店生意才興隆。這並不表示做轎子的人心地善良，賣棺材的就心黑不仁，而是人人都以自己的利益爲出發點。人人都喜歡名利，討厭刑罰，這也就是人性。

因此韓非主張，要想把國家治理得好，首先必須制定完整、有系統的

法律和政治制度。然後國君利用人們自私自利的心理來控制臣下，使臣下不敢為非作歹，國家才能夠富強。

韓國在戰國時代是個小國，韓非相信自己的辦法能使韓國轉弱為強。可惜，韓王是個昏聵的君主，不相信這一套，使韓非一片忠心沒法施展。倒是秦王偶然間看到韓非的書卻著了迷，天天捧讀，甚至捨不得上床。看完後，召宰相李斯進宮。

『你去打聽一下這部書是誰寫的！』秦王命令道。

李斯翻了一下，恭恭敬敬回答：『這是我的同學寫的嘛！』

『哦！』秦王大喜，忙追問：『他是誰？那裏人？』

李斯回答：『他叫韓非，是韓國人。』

秦王長嘆了一聲：『這麼有才華的人，我要是能夠見他一面，死了也甘心！』

不久，秦國攻打韓國，韓國又小又弱，很快就豎起白旗。秦王答應韓王的求和，也不索求割地賠款，只有一個小小的條件，要韓非到秦國去。這才大出韓國國君意料，當然馬上派韓非出使秦國。

秦王見到韓非高興極了，既然早已仰慕韓非學問，自然也不嫌他結巴，耐著性子聽他慢慢的、吃力的說話。聽完韓非的話，秦王對韓非更是欽佩萬分。忍不住在李斯面前再三誇讚他，李斯聽了則背上發涼、臉上冒汗，恐懼萬分。

李斯想，秦王如此欣賞韓非，我這個宰相的職位遲早不保，不如先下手爲強。於是暗中收買了秦國大臣姚賈，唆使他在秦王面前進讒言，說韓非其實是韓國派來的間諜。秦王是個猜疑心很重的人，竟然輕信讒言，就把韓非拘押起來。

李斯依然放心不下，他惟恐有一天秦王回心轉意，又把韓非放出來做官，那他不是完了嗎？於是，偷偷派人拿了一包毒藥，強迫韓非自殺。韓非也只有滿腔悲憤痛苦的吞下毒藥，結束一生。後來秦王果然後悔了，想要赦免他，不過爲時已晚！

閱讀心得

## 【第44篇】

# 呂不韋由商人變爲相國。

呂不韋是戰國時期的大商人，家財萬貫，後來，成爲秦國的宰相。這是一段曲折的故事，同時，也牽扯到秦始皇的身世：

距今二千二百二十年前，周赧王五十六年的元旦，在趙國邯鄲地方，人們都在熱烈慶祝新年來臨，街頭巷尾人聲嘈雜，到處洋溢新春的歡樂。

在一所破舊的房舍裏，傳出嬰兒的啼哭聲，嬰兒的父親姓『嬴』名『異人』，他是秦昭王的孫子，安國君的兒子，安國君是秦國的太子，未來要繼承秦昭王的王位。

安國君有二十多個兒子，不過，都不是太子妃華陽夫人所生。異人的母親夏姬並沒有得到安國君的寵愛。

異人之所以住在邯鄲，那是因爲戰國七雄互相不信任，恐懼他國會入侵，於是，互相要求別國派一個王子住在本國，作爲人質之用。異人便是替秦國在趙國當人質。

爲了紀念兒子在元旦出生，異人把他取名爲政（古代『政』與『正』相通，『正』是正月的第一天）。政的母親擅長舞蹈，她原本是富商呂不韋的侍女。

呂不韋是個很有心機的人，他覺得，自己雖然有錢，卻沒有政治上的

力量，當他在邯鄲見到異人的時候，就打定主意，要在異人身上謀取利益。

當時異人既窮困，又得不到安國君的寵愛，內心十分苦悶。

呂不韋於是想利用他龐大的財富來幫助異人。異人感激涕零：『如果有一天，我能坐上秦王的寶座，我一定要重重報答你的大恩。』

呂不韋拿出五百金黃金，買了許多珍奇寶物到秦國去。他想盡辦法，終於見到華陽夫人的姐姐，送上一份豐厚的禮物。同時，捧出另一份更豐厚的禮物，拜託華陽夫人的姐姐，轉交給華陽夫人。

呂不韋對華陽夫人的姐姐說：『你不知道異人在趙國，如何深得人心，受到敬重。同時，他日夜哭泣，就為了想念華陽夫人。』

華陽夫人的姐姐拿了禮物，就把呂不韋的話轉告給華陽夫人，並且獻計：『你不如把異人當作親生兒子，立爲太子，將來好孝敬你。』

華陽夫人正爲沒有兒子煩惱，很高興地接受了姐姐的建議。

秦昭王五十年，政三歲之時。秦國大將王齕率領軍隊，把邯鄲團團圍起來。趙王氣壞了，想把秦國人質——異人殺掉。

呂不韋用六百金子，買通了看門的人。異人逃出邯鄲，回到秦國。政與母親則藏在呂不韋家裏，保住了性命。

異人回到秦國，華陽夫人正在擔心他的安危，一時之間，悲喜交集，要異人改名爲子楚，跟在自己身邊。

六年之後，秦昭王去世，安國君即位，立子楚爲太子。這時，趙王見子楚成爲秦國太子，便把子楚的妻兒，一起送回秦國，表示友善之意。

安國君在位，不到一年便死了，子楚即秦王位，便是秦莊襄王，當然，政便成爲秦國的太子了。

莊襄王在位三年，也去世了。太子政便繼承了秦王的大位。那時，他只有十三歲。十三歲的小國王雖然聰明伶俐，畢竟只有十三歲，國家大事就一切交由呂不韋來掌理。

呂不韋如願以償，他位居相國（實際上就是丞相，只是，相國的稱呼比較尊貴一些）。封文信侯，食邑河南洛陽十萬戶，秦王政尊稱他爲仲父，顯赫一時。

十年過去了，小國王已經二十三歲，他可以親自過問政事了。他所做的第一件事便驚動全國，他不僅要當秦國國王，他還要完成祖先未完成的霸業，那就是併吞東方六國。

當時，秦國大權，完全操在呂不韋手中，這當然不是野心勃勃的秦王政所能忍受的。他查出呂不韋有謀反的嫌疑，免去呂不韋相國的職務，並且，把呂不韋驅逐到四川去。當時四川是個荒涼不毛之地，呂不韋大爲惶恐，自知不免一死，就服毒自殺了。

閱讀心得

【第45篇】

# 小小外交官——甘羅。

在戰國時代，學術流佈，教育普及，只要有才華，一定會被賞識重用，就算你是個小孩兒也沒關係。甘羅，正是最好的例子。

甘羅是甘茂的孫子，甘茂在秦宰相呂不韋門下做賓客。甘羅那時十二歲，眼睛亮亮，臉蛋兒紅噴噴的，一臉聰明相，可愛又伶俐，大家都喜歡他。

有一天，甘羅一個人在大廳上玩耍，看見呂不韋用手撐著下巴，連連唉聲嘆氣。他就跑過去，扯扯呂不韋的衣裳問：『咦，你有什麼心事嗎？』

呂不韋白了他一眼道：『小孩子懂什麼？』

甘羅不服氣的仰著小臉說：『我是你的賓客，你有心事不讓別人知道，那我如何爲你効勞呢？』

呂不韋說：『哎，我想派張唐到燕國去做宰相，孤立趙國。但是張唐怕路上經過趙國時，被趙國人殺掉，不敢去。我怎麼勸，都沒有用。』

甘羅說：『原來就這麼點小事，幹嘛不早說，我去幫你講。』

呂不韋煩透了大吼：『去，去，去！小孩子懂什麼！』甘羅又振振有詞的道：『以前啊，項橐不過七歲，就當孔子的老師。我今年都十二歲了，比項橐大五歲，等我辦不成時你再罵我還不晚啊！』

呂不韋沒想到他小小年紀，說得挺有道理的，鄭重向他道歉，並且說：

『這件事要是辦成功了，我保你在朝廷當官。』

甘羅聽了很開心，馬上就去找張唐。張唐看到一個小男孩氣吁吁的來求見，又好笑又生氣，拍拍他的小腦袋問：『你來做什麼？』

甘羅很正經的回答：『我來弔你的喪！』

『弔唁我？』張唐生氣道：『我又沒死，要小孩子弔喪？』

甘羅不理會，繼續問：『你認爲自己的功勞比白起如何？』

張唐老老實實的答道：『不及他十分之一。』

甘羅繼續問：『秦國以前的宰相范睢權力大，還是現在宰相呂不韋權力大？』

張唐說：『那還用問，當然是呂不韋大。』

『所以啊，』甘羅挺胸擡頭從從容容道：『在長平之戰以後，范雎要白起再一次去打趙國，白起不肯，范雎就設法害死了白起。如今，呂不韋請你到燕國當宰相，你推三阻四的，呂不韋遲早會要閣下腦袋的。我看你快死了，所以來弔唁你。』

張唐一聽這話，再一想想，不禁嚇得渾身發抖，趕緊向甘羅道謝：『謝謝提醒。』說著，連奔帶跑的去見呂不韋，當天便急急動身。但張唐心裏還是怕得要命，甘羅就請求呂不韋給五輛車子，準備跟張唐一塊兒先去趙國。

秦王聽說有個小神童，很好奇，派人把他找來。見甘羅眉清目秀，口齒伶俐，心中疼愛不已，派給他十輛車子，一百個隨從，浩浩蕩蕩去了趙國。

趙王聽說秦國有使者前來，親自到二十里外的道路上去迎接，沒想到下車的竟是個漂亮的小男孩。就問甘羅：『以前爲秦打通三川的也姓甘，是你什麼人？』甘羅說：『我祖父。』趙王說：『你多大？』甘羅回答：『十二歲。』趙王搖搖頭笑道：『難道秦國沒有人才了，怎會派個小娃娃來呢？』

甘羅說：『秦王做事有計畫，年紀大的做大事，年紀小的做小事。我最小，所以派我到趙國。』趙王被搶白一頓，自討沒趣，可是也吃驚不小。但看他口才、風度、儀態，絕不遜於一流的外交人員。因此不敢輕視，很有禮貌的問：『你來這兒有何貴幹？』

甘羅說：『你有沒有聽說燕國的太子丹被扣押在秦國？』趙王說：『我聽說了。』甘羅又問：『你知不知道張唐正要去燕國當宰相？』趙王回答：『這個我也知道。』甘羅嘆口氣道：『秦燕和好，那你趙國不是危險了嗎？你最好割五個城市給秦國，我就回去告訴秦王，不派張唐去燕國。那時你趙王攻打燕國，秦國不會出兵干涉。趙國本來比燕國強，你將來從燕國取回的土地何止五個城市？』

趙王很欣賞這個主意，賜甘羅兩千四百兩黃金，兩雙白璧，把五個城池的地圖交給他。甘羅快樂的跑回去上報秦王，秦王平白得了五個城市，直誇甘羅聰明；張唐當然也就不去燕國，對甘羅也感激萬分。

後來趙王果然去攻燕國，佔了三十個城市，送給秦國十一個，秦王更高興了，封甘羅爲上卿，可惜沒過多久，甘羅就死了。

閱讀心得

## 【第46篇】荊軻飛刀刺秦王。

戰國末期，秦國的力量一天比一天壯大，尤其到了秦王政時，更是威赫無比，各國諸侯都不滿秦國。其中，燕國的太子丹，更恨透了秦王政，朝思暮想除掉他。

太子丹聽說有個賢人叫田光，爲人勇敢而深沉，決定聘他。可是田光推說自己年紀太大了，沒法幫忙，而大力推介荊軻。

荊軻是齊國官員慶封的後代，他愛好讀書，劍術高超，很喜歡喝酒，和一個會敲『筑』（一種樂器）的人——高漸離感情很好。兩個人常在酒店裏喝得酩酊大醉，然後，高漸離敲筑，荊軻和著音樂高歌。唱完以後，荊軻便痛哭流淚，嘆息沒人賞識。

田光把荊軻介紹給太子丹後，太子丹立刻尊荊軻爲上卿，還特別築了一座『荊館』供他居住，送車騎、獻美女，伺候得無微不至。荊軻有一天和太子丹騎馬出遊，荊軻無意中說了一句：『馬肝味道不壞。』一會兒，太子丹就把最心愛的千里馬宰了，爲荊軻做菜。

又有一次，太子丹請荊軻喝酒，特派自己最寵愛的美女一旁伺候。荊軻看她兩手柔細白嫩，忍不住讚道：『眞是玉手。』宴席散後，太子丹送來禮物，荊軻打開一看，哇！竟然是美女的雙手。荊軻心裏非常感動，決

心以死報答太子丹。

荊軻待了很久，一直沒有出發的意思，因爲他在找大力士蓋聶，想和蓋聶一起行動，偏偏找了很久都找不到。這時，秦國的大軍已經到達燕國的南界了，太子丹急壞了，猛催荊軻早日行動。

『哎，我就是到了秦國也見不到秦王啊。』荊軻兩手一攤，無可奈何的說：『除非——』太子丹追問：『除非什麼？』荊軻道：『現在樊於期將軍得罪了秦王，秦王懸賞千金要他的腦袋。如今，樊將軍逃到了燕國，若能帶著他的頭，再加上燕國督亢地方的地圖獻給秦王，秦王一定願意接見我，那就有辦法了。』

太子丹連連搖手：『不行，人家樊將軍沒有路走了，才來投靠我，我怎能向他要腦袋？不好不好。』

荊軻知道太子丹不忍心，就私下去見樊於期說：『秦王對你也太過分了，不但殺了你父母宗族，還要重金購買閣下的腦袋，你想不想報仇？』『怎麼不想？』樊於期咬牙切齒的說：『但是想不出辦法。』荊軻說：『我有一個法子，可以解燕國憂患，還可以替你報仇，想不想聽？』樊於期急急道：『你說說看。』

等荊軻把計謀說出來以後，樊於期沒有第二句話，拔出利劍當場自殺。太子丹聽說這件事，趕來阻止已晚了一步，也無可奈何了，伏在樊於期的屍體上痛哭失聲。

然後，太子丹把國書、督亢的地圖、樊於期的頭，以及一把鋒利、染有劇毒的匕首一併交給了荊軻，並為他設宴送行。喝過酒，高漸離敲筑，荊軻又唱起來：『風蕭蕭兮易水寒，壯士一去兮不復還！』歌聲悲壯，人人流淚，像出殯一般。荊軻唱完了，跳上馬鞍，揮舞馬鞭，頭也不回的上路了。

到了秦國以後，秦王政聽說樊於期的腦袋來了，非常高興，下令在咸陽宮召見燕國來使。

這一刻終於到來了，荊軻捧著樊於期的頭顱走在前，他的助手秦舞陽拿著地圖跟在後，兩人一步一步走上宮殿。秦舞陽臉色白得像死人，手在發抖。秦王左右的人看著奇怪問：『他有什麼毛病？』荊軻很機警的上前一步叩首：『他是北番蠻夷之人，沒有看過君王，請原諒。』

秦王政傳令只許荊軻一個人上殿。荊軻只好自秦舞陽手中拿過地圖，走到秦王的桌前，展開給秦王看。地圖一寸一寸慢慢展開，當地圖整個展開時，荊軻迅速的拿起藏在圖中的匕首，就朝秦王胸口刺去。秦王大驚，立刻站起來向後躲閃，這一退，袖子就拉斷了，卻躲過了匕首。秦王碰倒了屏風，想拔出劍，劍太長，一緊張，拔不出。於是秦王繞著大廳的柱子跑，荊軻拿著匕首在後追趕。

秦法律規定，皇宮大殿上不准帶武器，同時，沒有秦王的召喚是不能任意向前的。因此，朝臣們眼見秦王的危急，既無法又不敢向前解救。秦王的一個醫生情急之下，用藥袋打荊軻，臣子趙高趁此大叫：『快把劍推到背後再拔。』果然，秦王把劍鞘向後推，劍一下就拔出來了。馬上用長劍砍斷了荊軻的大腿，荊軻不能動，跌坐在地上，把匕首擲向秦王。秦王一閃，匕首擦過耳邊，插入銅柱。荊軻知道完了，斜靠在銅柱旁大罵：『罷了，罷了，這也許是天意吧，但你也維持不長的。』秦王趕快召喚衛兵上殿，侍衛們紛紛向前，亂刀殺死了荊軻。

閱讀心得

## 【第47篇】殘暴的秦始皇。

自西元前二二一年秦王政滅六國以後，中國眞正成爲統一的國家，正式建立了中央集權的君主政體。

按照秦王政自己大言不慚的說法，他的道德與功勞都超過三皇五帝，因此，應該被尊爲皇帝。以前的天子有的稱『皇』，有的稱『帝』，他便把這兩個字連起來，從此以後，中國的天子才稱爲『皇帝』。又因爲他自以爲他的君位將由二世、三世傳到千萬世，所以他是始皇帝（第一任皇帝），後人便稱他爲秦始皇。

秦始皇因爲吞滅六國頗不容易，他特別加強地方的控制，但又不願意派子弟前往鎮守，以免他們彼此侵伐。秦始皇就想了一個辦法——實行郡縣制度。

他把全國分爲三十六郡，郡設郡守，由中央派遣，管得牢牢的。但是秦始皇還是不放心，於是命令全國有錢的富豪，統統搬到咸陽城去，以便就近監視。

這些倒楣的百姓只有忍痛拋棄田園家產，被殘酷的地方官趕著上路。一路上吃盡苦頭，到達咸陽。秦始皇想：『這下子你們就不能造反了吧？不由你不服。』然而，他還是心裏有疙瘩——因爲百姓手中有兵器。

受命于天
既壽永昌

所以秦始皇下令把各地城牆削平，撤去防備，並且沒收民間所有兵器。剛好這時，臨洮縣報告，有人看見十二個怪物出現，長五丈，脚六尺長，穿著夷人的衣服。秦始皇認爲這表示祥瑞，很有意思。因此，他就把所有搜集的兵器熔化成幾百萬斤的銅，然後照夷人模樣，鑄了十二個銅人，每個淨重二十四萬斤，很威武的擺在宮門口。

秦始皇曾派大將征服巖南，平定以後在咸陽宮遍宴群臣。沒想到正在舉杯暢飲時，有個大臣冒失的站起來數說郡縣制度的弊病，使得秦始皇大爲掃興。因此他認爲，這些讀書人多懂得一點事，便到處批評，太討厭了，而且有損皇上的威嚴。於是秦始皇採用李斯的建議：把所有各國史書、詩書及百家著作一律燒光，免得人民書看多了麻煩就多了。那個人有膽談論詩書，或是說什麼『現在不如以前』的，就把他殺掉。只准人民讀些醫藥、卜筮、種樹等沒有深刻政治思想的書籍。

俗語說：『皇帝好登仙』，這就是秦始皇的故事。他想，自己雖貴爲天子，但不免一死，總比不上神仙，能夠永遠不死。剛好有個方士徐市（有人稱爲『徐福』）上書，說是在海上有一座仙山，山上有不死的靈藥，如果讓他帶領童男童女若干名，便可到達仙山尋找靈藥，獻給皇帝。秦始皇相信了，就派徐市帶了三千童男童女前往，沒想到一去不復返。有人說，那三千童男童女以後結成夫婦，成爲日本人的祖先。

秦始皇正在爲徐市一去便無影蹤的事情發火時，又聽說許多方士在暗地裏說他的壞話。一氣之下，在咸陽市上抓了幾百個儒生審問：『你們趕緊招來，有沒有妖言惑衆？』又把他們拖翻在地，打得皮開肉爛，鮮血直噴。揍完之後，更把這四百六十名儒生趕到深谷之中，在上面拋擲泥塊沙石。可憐這批讀書人就活活的被埋死了。

當時，民間流傳著一首歌謠，歌謠中有『亡秦者胡』。這歌謠傳入了秦始皇耳中，他暗暗大驚，『亡秦者胡』，『胡』不就是塞外胡人嗎？於是，一面派蒙恬率三十萬大軍北伐匈奴，一面修築長城，以防胡人。西起臨洮，東到遼東，號爲『萬里長城』，耗費無數人力。膾炙人口的孟姜女故事，就是講孟姜女的丈夫萬喜良被抓去築長城，她萬里尋夫的故事。

秦始皇因爲做了太多的虧心事，所以到了晚年，天天擔心被人暗殺，夜夜更換居所。他的居處只有宰相李斯及內監趙高知道，凡洩漏行蹤者，滿門抄斬。

秦始皇是一個喜歡到處遊歷的人，中國的名勝地區他幾乎都去過。有一年，他由大臣和衛隊陪同出遊，走到平原津時，忽然生起病來，病勢愈來愈沉重，到了沙丘（今河北平鄉縣），終於死了。

秦始皇生前沒有立太子，在臨終的時候，要宰相李斯傳令長子扶蘇趕回京城咸陽，繼承皇帝位。原來扶蘇是個仁慈的人，他曾勸諫秦始皇不要太暴虐，秦始皇大爲生氣，便把扶蘇趕到長城去，監督大將蒙恬。可是秦始皇最寵信的宦官趙高因爲不喜歡扶蘇和蒙恬，便和李斯商量，改變了秦始皇的遺囑。以皇帝的名義下了一道詔令給扶蘇，賜扶蘇死，而讓秦始皇的小兒子胡亥繼承皇帝位，胡亥就是秦二世皇帝。

閱讀心得

【第48篇】

# 秦始皇與萬里長城。

提起萬里長城，人們一定會想到秦始皇。其實，始皇統一中國之後，只不過做了短短八年的皇帝就去世了，八年之中，無論如何，不可能完成如此震驚世界的大工程。

事實上，在秦始皇出生之前六七十年，就有人開始建築長城了。

戰國時代，齊、楚、燕、趙、韓、魏、秦七雄並立。這七個國家，都害怕其他國家前來侵略，於是，在與鄰國交界之處，模仿城牆的模樣，築起一道高牆，這高牆被稱之為『長城』。最早建築長城的國家是齊國，齊國的長城是用來防禦楚、魏、趙、燕四個國家的。

趙國在趙武靈王時代，為了防備匈奴入侵，特別在趙國北方的邊境上，興建了一條長城，從代縣（察哈爾省西南）到高闕（綏遠後套臨河縣北方一百多里）。全長一千多里，經過叢山峻嶺，工程相當偉大。

長城原本是戰國七雄之間，互相防禦的工事。趙武靈王的長城，卻是用來防禦外族侵略之用。

趙武靈王所建築的長城，就是後來萬里長城的一部分。

秦國的領土，原在今日陝西一帶，秦國的北方，正是胡人活動地區。秦昭王便學趙武靈王，也在陝西北邊建築了一條長城。

燕國位於現今河北省北部。當時，燕國有一個大將軍——秦開。秦開自小在胡人的部落裏長大，對於胡人優點缺點都十分了解。

由於知彼知己，所以，秦開做了燕國大將之後，就訓練軍隊，打敗了遼寧熱河一帶的胡人，把胡人向北邊驅逐了一千多里。秦開也建築了一條長城，防止胡人南犯，從造陽（河北省獨石口）到襄平（遼寧省遼陽縣北方）。

秦國、趙國、燕國在北方邊境上所建築的三條長城，就是日後秦始皇時所完成的萬里長城的骨幹。

秦始皇統一全國之後，民間流傳一句話：『亡秦者胡。』秦始皇是個很迷信的人，他認爲胡就是胡人，胡人是北方的遊牧民族。

秦始皇不能容許預言成眞，他派大將蒙恬率領三十萬兵馬北伐胡人。當時，北方的胡人主要是匈奴，匈奴散居在山西北部綏遠南部一帶。蒙恬很有本事，他把匈奴驅出黃河以北，收復河套，並且佔據了陰山。匈奴雖然暫時被打敗，過了幾年，兵強馬壯，會再度南下搶劫，秦始皇爲了使匈奴斷絕後路，便想起不如把秦、趙、燕三國長城相接。戰國時代這三條長城相距很遠，秦始皇下令蒙恬把長城連成一氣，這就是後世聞名的『萬里長城』。

不論築長城、守長城，甚至連運糧食到長城，都是一件萬分辛苦的事，成千上萬的人死在長城。當時的人，只要接到這一紙命令，彷彿接到死亡證書，既絕望又恐懼，可是，秦朝法律如此嚴苛，不去，行嗎？

在全國人民的水深火熱之中，萬里長城完成了，起自臨洮（甘肅岷縣），終至朝鮮半島南方碣石山（韓國黃海道遂安縣境內），這是世界著名的偉大工程，據說太空人在月球之上，都可以看到萬里長城，可見其壯觀之一斑。

## 閱讀心得

【第49篇】

# 孟姜女的故事。

講到秦始皇修築萬里長城，馬上會讓人想到孟姜女哭倒長城的故事。這個故事反映一般人心，把秦始皇修長城，視為恐怖的暴政。孟姜女的故事，正史上並沒有記載，是流傳在民間的虛構故事，故事是這樣的：

據說，在秦始皇之時，江南蘇州有一位萬員外，年已半百，膝下只有一獨生兒子，名叫萬喜良。萬喜良天資聰穎，二十歲已極有名氣。

當秦始皇修築萬里長城的徵調命令到達蘇州，萬員外十分著急，捨不得文弱書生的萬喜良去做苦工。於是，萬員外催促萬喜良連夜逃走。過了幾天，差人到萬員外家來要人，搜遍全屋，也不見人影。因此，佈告全國，全面通緝萬喜良。

萬喜良自幼養尊處優，從來也沒有一個人單身出遠門。逃亡在外，餐風露宿，躲躲藏藏，日夜不安，整個人被恐懼所籠罩。

有一天晚上，天色已黑，萬喜良不敢去投宿，又找不到遮風避雨之處，心裏七上八下。忽見前面一座大花園，景色宜人，環境優美，恰好大門未關。萬喜良便信步走了進去，準備躲在大樹之下，暫過一夜。

這花園的主人姓孟，名隆德，乃松江府華亭縣孟家莊的大地主，家財

萬貫，只有一個寶貝掌上明珠——孟姜女。

孟姜女容貌秀麗，知書達禮。這天晚上，孟姜女獨自到花園玩耍。看到池中荷花盛開，嬌艷動人，忍不住動手去摘，一個不留神，『撲通』一下落入荷花池中。

幸而荷花池很淺，孟姜女馬上就爬了上來，只是衣裳盡濕。她趁著夜色，把衣裳脫下，用手擰乾。

忽的，聽到樹上有聲音，一回頭，不得了，竟然有個男子正直直望着她。孟姜女羞紅了臉，著急得放聲大哭，想要自殺，又爲顧念二老，想來想去，只有嫁給他才行。

孟隆德夫婦知道了，當然不開心。可是，總比女兒自殺要好，只好沒可奈何的同意了。等到孟家夫婦把滿面尷尬的萬喜良找來，一見小生斯文有禮，溫文儒雅，並非偷窺婦女的無聊男子，倒也寬慰不少。

孟家夫婦很同情萬喜良的遭遇，把他改名爲萬世良，挑選了一個黃道吉日，讓他與寶貝女兒正式成親。

孟隆德夫婦在地方上是有頭有臉的人家，獨生嬌女出嫁，自不免大事鋪張，親朋好友紛紛前來賀喜。

華亭縣縣長正在懷疑新郎的身分。孟府中小丫頭不知道輕重，大嘴巴地把萬世良就是萬喜良的事輕輕鬆鬆洩漏了。因此，婚禮進行了一半，縣裏的差人硬是闖了進來，把穿著新郎服裝的萬喜良給綁走了。

萬喜良到了長城，不堪折磨，短短三天就死了。孟家完全不知消息，孟隆德對女婿也十分牽掛，派了僕人孟興到萬里長城的工地去打聽萬喜良的消息。孟姜女並且親自做了一大包冬衣，交給孟興帶去。

孟興把衣服原封不動地帶了回來，也捎回不幸的死訊。孟姜女哭昏了過去。當天晚上，孟姜女做了一個夢，夢見萬喜良告訴她，屍體埋葬在長城牆基底下，埋葬的地方，有一個六角亭。

這個夢讓孟姜女驚醒過來，她覺得她還有一件要緊的事沒做，那就是把萬喜良的屍體挖掘出來，好好地安葬。

經過長途跋涉，吃盡千辛萬苦，孟姜女終於來到了萬里長城，也找到了夢中的六角亭。不覺悲從中來，伏地大哭特哭。忽然間，一聲『轟隆』的巨響，長城倒塌了，牆基下露出屍體。

秦始皇聽說孟姜女哭倒長城，大爲震怒，派人把孟姜女抓來，準備重重處罰。

可是，秦始皇一見孟姜女，驚爲天人，要求孟姜女做他的妃子。孟姜女答應了，可是提出一個要求：『請求陛下先造一座大墳安葬萬喜良的屍骨。並且，在鴨綠江邊，舉行大規模的祭典。』

始皇含笑道：『這個好辦。』

於是，在鴨綠江邊，孟姜女跪在萬喜良的新墓之前哭泣。那悲慘的哀號，使得旁觀者的眼睛都濕潤了。

哭祭完畢，孟姜女轉身走到江邊，望著波濤的江水，縱身一躍，旁觀者都驚呆了。雖然大家七手八脚忙著救人，卻連屍體也找不著，秦始皇想娶孟姜女爲妃的美夢也碎了。

閱讀心得

## 【第50篇】

# 趙高指鹿爲馬。

秦始皇死後，李斯和趙高不發喪，心懷鬼胎，一手遮天。

趙高是什麼人？他本來是一個小太監（宦官），因爲熟悉秦朝法律，又懂得吹牛拍馬，很得秦始皇的寵愛，秦始皇便派趙高教小兒子胡亥審判法案。胡亥只知道玩樂，不喜歡用腦筋，趙高就領著胡亥飲酒作樂，自己代替胡亥審問案件。

趙高胡作非爲，要拿紅包的事兒慢慢鬧開了，秦始皇派大臣蒙毅（大將軍蒙恬的弟弟）審訊，蒙毅一下子把趙高判個死罪。沒想到秦始皇又釋放了趙高，趙高從此對蒙家恨到了極點。

秦始皇出巡去世時，趙高、李斯、胡亥都在一旁。趙高串通李斯，假藉秦始皇的名義，寫了一封信給在邊境的長子扶蘇，要他和大將軍蒙恬雙雙自殺。

接著，他們把秦始皇的屍體運回咸陽，但對外絕不發佈秦始皇已死的消息，沿途之中，文武百官仍照常奏事。由於秦始皇怕被暗殺，一向也是在臥車中接見群臣，於是趙高躲在車中隨口亂扯一番敷衍過去。可是到咸陽的路程很遠，日子久了，屍體發出的臭氣很難瞞過去，趙高便假傳聖旨，向地方官要了許多鮑魚，命令每個官員車上分裝一石，大家都莫名其妙。

但秦始皇一向專制不講理，官員也習慣了不敢多問。鮑魚一向是有臭味的，就這樣遮蓋比死老鼠還難聞的屍臭。

扶蘇接到信，痛哭一場後，揮出長劍準備自盡。蒙恬認爲其中有問題，勸扶蘇打聽清楚後再死不遲。扶蘇不肯，他說：『父要子死，子不得不死。』說著，劍往頸上一抹，鮮血狂噴便死了。

趙高、李斯等一行人回到咸陽，便宣佈秦始皇的死訊，並假傳遺詔，立胡亥爲皇帝。

胡亥本來想放了蒙恬的，因爲蒙恬有赫赫戰功，沒有任何理由要殺他。趙高欺騙胡亥說，蒙氏兄弟會造反，於是蒙毅被處死，蒙恬也服毒自殺。

胡亥又下令繼續建築阿房宮，選了五萬名武士加上無數役夫。因人太多，糧食不夠吃，胡亥竟想了個妙法，命令各郡縣隨時送糧食到咸陽，但送糧食的人自己得攜帶糧食在路上吃，不准在咸陽三百里內買東西食用。這是只有像胡亥這種顢頇的暴君，才想得出來的辦法。

趙高對李斯心懷戒懼，李斯的兒子在戰場上爲國犧牲了，趙高反誣他想謀反，李斯當然不承認。但不承認也沒用，胡亥一切都聽趙高的，於是把李斯殺掉，趙高當上了宰相。趙高並告訴胡亥：『天子自稱「朕」，「朕」的意思是有聲無形，使人可望不可近。因此陛下應深居後宮，才不愧爲聖主。』胡亥也就輕易被哄騙不理政事了。

朝廷臣子都對趙高不滿，趙高便設計一項毒計制伏他們。有一天，他告訴胡亥要送他一匹馬，胡亥很是興奮，感激的道：『你送的馬一定是好馬。』

等到『馬』牽進來，原來是隻鹿，胡亥就大笑：『是鹿嘛。』趙高正色道：『明明是馬。不信，問問群臣。』大臣們你看我，我看你，沒人敢出聲。後來終於有幾個老臣，看不過趙高這樣愚弄君主挺身而出，表示『這是鹿』。不久，這幾個老臣，腦袋便搬家了。從此，朝廷官員們都不敢發表意見，只有趙高『指鹿爲馬』，一派胡言。

秦朝的法律嚴苛，本來就難忍，加上胡亥的暴虐，比秦始皇有過之無不及，因而人民紛紛起義。趙高到後來逼著胡亥自殺，想以此來跟義軍和談。可憐又可恨的胡亥只做了三年皇帝，二十三歲便死了。趙高繼立子嬰爲帝，子嬰看趙高能殺胡亥，將來一定能殺自己，先下手爲強，也就把趙高給殺了。但秦朝不久也被老百姓給推翻了。

閱讀心得

【第51篇】

# 陳勝、吳廣起兵抗秦。

中國人的民族性是善良、寬厚而且容忍的，愛好和平更是自古就有的美德。然而，當壓迫過分時，也會一怒而起加以反抗。

秦二世元年七月，胡亥下令陽城一地要徵調一部分人去漁陽當兵，稱爲『戍卒』。有錢有勢的人，只要拿得出錢就可免役，一般窮苦的老百姓是非去不可的。

陽城的地方官共徵調了九百多人當戍卒。其中有個叫陳勝的，原來是幫人做長工的莊稼漢，身材高大，挺有氣派，便被選作隊長；他和另外一個隊長吳廣，分領兩個大隊到漁陽去報到。並且派了兩個武官隨隊監督。

走了幾天，他們到了大澤鄉，距離漁陽城還有幾千里路。沒想到天公不作美，嘩啦嘩啦的下起大雨，一連下了好幾天雨都不停。偏偏大澤地方地勢過低，積水愈漲愈高，道路也泥濘不堪，壓根兒就沒法通行。

陳勝找來了吳廣商量說：『老兄，糟啦，去漁陽的路還遠得很，至少要走一兩個月才到，可是期限快到了。根據秦朝的法律，過期要殺頭的，難道我們就白白送死嗎？』

吳廣也很著急，他嘆了一口氣道：『乾脆，逃走算了。』

陳勝搖了搖頭說：『沒有用，你想想看，有什麼地方可逃避？到處都

有官兵追捕，倒不如共同做一番大事。將相本無種，男兒當自強。』接著，陳勝又說出一大套計畫，他想用秦公子扶蘇和楚將項燕的名義作號召，鼓動大家起來反秦。

吳廣也認為他的話有道理，但是，以陳勝一個不起眼的長工如何叫眾人心服呢？不急，他有一條妙計。

第二天，陳勝派兵士去買魚做菜。其中有一條魚的肚子特別大的，剖開來一看，兵士發現其中有塊絲綢，吃驚得大叫起來。更怪的是綢上居然有『陳勝王』三個大字，嚇得把菜刀一扔，嚷嚷叫叫。其他的兵士聞聲趕來一看，也覺得很奇怪，有人趕去告訴陳勝。

陳勝聽了，板著臉道：『魚肚子裏怎麼會有字，你們不知朝廷大法嗎？

竟如此胡說八道，去！』大家口上不敢講，背地裏談論不休，此後人人忍不住對陳勝多看上兩眼。

到了晚上更奇怪了，睡覺睡到一半，遠遠傳來像狐狸叫的聲音，把大家都驚醒了。起初聲浪模糊，慢慢比較清楚，有一個士兵大叫道：『我聽懂了，是「大楚興，陳勝王」。』仔細一聽，果然就是這幾個字。這種奇怪的事傳得最快，一會兒人人都曉得了。

仗著人多勢旺，大家便起身察看究竟。由於營外是一帶荒郊，只有西北角上有幾株樹，樹後有一座古祠，聲音是從古祠中傳出來的，分明就是『大楚興，陳勝王』兩句話。更怪的是，樹叢間隱隱透著火光，像燈又像燐火；一會兒移到這邊，一會兒移到另一邊，變幻離奇；又過了一陣子，一切歸於沉寂。大家本想再去看看，因爲路上泥滑難行，再加上規定夜晚不准外出，就回去睡覺。

其實呢，絕不是什麼天上的預兆，陳勝玩的是乩童常用伎倆。他趁著黑夜跑到漁家把絲綢塞入魚口，又叫吳廣躲在古祠中裝狐狸聲音。但是一般士兵不知眞相，反而添油加醋說什麼魚將化成龍，又說狐狸是神仙託語，交頭接耳的把陳勝捧得像仙人下凡一般。

剛好監督軍隊的兩個武官，一天到晚只曉得喝酒睡覺。陳勝眼看時機成熟，偷偷的把兩個武官殺了，然後召集衆人說：『各位，我們等到天晴趕去也不能趕上期限，與其被斬不如造反，說不定還可封王拜相哩。』兵士們由於早以爲陳勝非凡人，加上他說得也有道理，一致答應了。於是，陳勝、吳廣成爲第一支反秦的武力。

國家圖書館出版品預行編目資料

全新吳姐姐講歷史故事. 2. 戰國－秦代/吳涵碧著.--初版.--臺北市；皇冠，1995〔民84〕
面；公分（皇冠叢書；第2468種）
ISBN 978-957-33-1212-3（平裝）
1. 中國歷史

610.9 84006868

皇冠叢書第2468種

**第二集【戰國－秦代】**

# 全新吳姐姐講歷史故事〔注音本〕

作　　者—吳涵碧
繪　　圖—劉建志
發 行 人—平雲
出版發行—皇冠文化出版有限公司
台北市敦化北路120巷50號
電話◎02-27168888
郵撥帳號◎15261516號
皇冠出版社(香港)有限公司
香港銅鑼灣道180號百樂商業中心
19字樓1903室
電話◎2529-1778　傳真◎2527-0904
印　　務—林佳燕
校　　對—皇冠校對組
著作完成日期—1992年01月01日
香港發行日期—1995年09月25日
初版一刷日期—1995年10月01日
初版二十九刷日期—2021年05月
法律顧問—王惠光律師

讀者服務傳真專線◎02-27150507
電腦編號◎350002
ISBN◎978-957-33-1212-3
Printed in Taiwan
本書定價◎新台幣150元/港幣45元